入社1年目の教科書

Textbook for Freshman

岩瀬大輔

ダイヤモンド社

はじめに　仕事において大切な3つの原則

司法試験の勉強に明け暮れた大学生活を終えた僕は、1998年にボストン・コンサルティング・グループ東京事務所に就職しました。それから2年後、米国のベンチャー企業、インターネットキャピタルグループ日本法人の立ち上げに参画するため、生涯で初めての転職を経験します。

ところが、間もなくこのベンチャーが日本から撤退してしまったため、二度目の転職を余儀なくされました。2001年、僕は投資ファンドのリップルウッド・ホールディングスへの入社を決意しました。

6年余りの間に一度の就職と二度の転職を経験した僕は、2004年の秋から2年間の海外留学に旅立ちます。米国ハーバード・ビジネス・スクールでMBAプログラムを修得するためです。

上位5パーセントの成績優秀者に与えられる「ベイカー・スカラー」の称号を受け

て帰国すると、半年後の2006年11月にはライフネット生命保険の母体となる会社を設立しました。現在は副社長として日々奮闘しています。

また、2010年には世界経済フォーラム（ダボス会議）のヤング・グローバル・リーダーズの一人に選出されました。

これが、僕の大まかな職歴です。

20代、30代を速いスピードで駆け抜けてきた自覚はありませんが、周りからはそう言われることもあります。2011年の春には社会人13年目を迎えますが、現在の職場が4社目であることから、多くのビジネスパーソンの方々よりも、多様な組織に身を置いてきたと言えるでしょう。

様々な経験を踏まえていま振り返ると、**組織は変わっても僕の中で変わらない「芯」のようなものがあった**という自負があります。それは、仕事に取り組む際に大切にしてきた3つの原則です。

決して目新しいものではありません。驚くような秘密が隠されているわけでもありません。ごく当たり前の小さなことの数々です。しかし、**3つの原則を死守してきたからこそ、僕の成長は加速された**と信じています。

本書を手に取った皆さんにも、人の何倍もの速度で成長を遂げていただきたいと願っています。そのために、まずは3つの原則をお伝えすることから始めたいと思います。

原則❶　頼まれたことは、必ずやりきる

社会人になって最初に同室になった先輩に、こんなことを言われました。

「岩瀬、新人のうちは頭が良いとか優秀だとかというのは、どうでもいいことなんだよ。上に頼まれた仕事を何が何でもやりきってくれるかどうか。仕事を頼む側からすると、最も大事なことは、そういうことなんだよ」

この言葉は、いまでも強く印象に残っています。実際のところ、部下を持つ立場に立ってみると、督促しないと頼まれた仕事に手をつけない人が、思いのほか多いことに気づきました。

「すみません、まだやっていません」

「忘れていました」

そういう人たちが必ず口にする言葉です。仕事を依頼する立場に立ってみてください。あなたは、彼らを信頼することができるでしょうか。彼らの中には、優秀な成績

で入社してきた人材も含まれているのです。

それに対して、一度依頼した仕事は、こちらからリマインドしなくとも、必ずやってくる人がいます。

その人たちの仕事ぶりは、必ずしも完璧というわけではありません。それにもかかわらず、頼んだことをとりあえず最後までやってくれる人には、また仕事を依頼しようと考えるものです。

社会人になったばかりの人に、仕事に取り組むうえで最も大切なアドバイスを贈るとき、僕は最初にこの話をします。


頼まれたことは何があっても絶対にやりきる。


自主的に、督促される前に全部やりきる。

初めて経験する仕事、慣れない仕事であった場合、自分一人でやりきるのは難しいかもしれません。そうした場合には「ここまで自分でやりましたが、ここで詰まっています」という報告ないしは相談を上司にこまめにして、前に進めばいいのです。目指すべきは、100点満点の出来栄えではありません。

かつての上司が僕に言ったように、いくら成績優秀であっても、何度も催促しない限り頼んだことをやってくれない新人に、積極的に次の仕事を頼む人はいません。

「何があってもやりきるんだ！」という強い意志を持って仕事に臨み、実際にやりきる人だけが信頼されるのです。

周囲から信頼に足る人物だと評価されれば、次の仕事が回ってきます。新たな仕事に取り組むことで、経験値が積み重ねられていきます。そのプロセスを重ねていくことで仕事の質が高まり、仕事の量も増加の一途をたどっていくのです。

仕事のスキルが上達し、量をこなす速さを身につければ、次のチャンスを得ることができます。ほかの人との間にあったわずかな差が、想像以上のスピードで埋めがたい大きな差に広がっていくのです。

だからこそ、頼まれた仕事はとにかくやりきることが重要なのです。

原則❷　50点で構わないから早く出せ

仕事に慣れていない段階では、どうしても１００点満点の成果物を出そうと考えてしまいがちです。

もちろん、１００点を目指すのは素晴らしいことです。でも、そのために1カ月をかけるのであれば、１週間で50点のものを出したほうがいい。**50点の仕事に赤ペンを**

入れてもらい、アップグレードしていけばいいのです。

ビジネスの現場は、誰の助けも借りず、何も見てはいけない学校の試験とは違います。人の力を使うことは悪ではないのです。求められるのは、良い成果を出すこと、それにスピードです。すべてのリソースを総動員して、より良いアウトプットを1秒でも早く出すことを心掛けてください。

リソースは資料や情報だけではありません。上司や先輩や仲間など、多くの人からのアドバイスも含まれています。この「50点で構わないから早く出せ」というテーマの趣旨は、上司や先輩の力をうまく使い、**総力戦で仕事を進めていってほしい**ということなのです。

「こんな頻繁に俺のところに相談に来るやつはいない」

ボストン・コンサルティング・グループに入社したばかりのころ、当時のマネージャーに言われた言葉です。ほかの人たちは、ある程度完成させるまで仕事を抱え込んでいました。

「もう少し質の高いレポートに仕上げてから持っていこう」

「中途半端な段階で持っていくと、上司から怒られるからなあ」

僕にはそういった遠慮する気持ちは、まったくありませんでした。むしろ怖い上司だからこそ多くを学べると考えたのです。自分でできる範囲を仕上げたら、できるだけ早く見てもらったほうがプラスになると考えました。

同じようなことは、リップルウッド・ホールディングス時代の上司にも言われています。彼は、東京海上から転職してきた人物です。

「東京海上に入社するようなエリートは、レポートに赤ペンを入れると嫌がる。ところが、岩瀬は真っ赤になって返ってくると喜ぶ」

仕事によっては、調べてから聞きに行ったほうがいいものがあります。もちろん自分でできる最低限のことは必ずやってください。そのうえで、少し行き詰まってしまい、ここから先は上司の助言をもらったほうが早く前に進むと思ったら、すぐに相談すべきです。

仕事を抱え込んだ末、締め切り直前に提出したものが誤った方向に進んでいたらどうなるでしょう。**方向転換は、早ければ早いほどいい**のです。

上司が忙しそうだから相談しにくいという遠慮は必要ありません。**上司の仕事というのは、部下の力を引き出してより良い成果を上げることだからです。**忙しいから部下の相手はできないという言い訳は成り立ちません。

上司に配慮したいのであれば、5分だけでもいいのです。重要なポイントだけを示し「この部分につまずいています」と相談してください。あるいは「その点は悩まなくていいよ。むしろこっちに力を入れてくれ」という助言を得られるかもしれません。それだけでも、仕事の進め方はまったく変わってきます。

この点は、一つ目の原則「頼まれたことは、必ずやりきる」につながります。抱え込んだうえに仕上げた仕事が見当違いの方向に進んでいたら、やりきったことにはならないからです。

勇気を出して、誰よりも早く50点の仕事を提出してください。**提出をゴールと考えるのではなく、最初のフィードバックをもらう機会**という気持ちでいればいいのです。自分の仕事に対してフィードバックを早く頻繁にもらうことが、より早い成長につながると僕は確信しています。

プレゼンテーションが上手になりたいのなら、「プレゼンテーション術」という講義を2時間聴いてもあまり意味がありません。自分でやったプレゼンテーションを人に見てもらい、改善すべき点を指摘してもらったほうが、よほど効果的です。

成長の近道は、実際にやってみることです。そして、やったことを直してもらうのです。その**経験を可能な限り短いサイクルで回し、自分の中に多くの経験値（経験知）のストックを増やせるか**という点が、成長の鍵になってくると思います。

原則❸　つまらない仕事はない

よく「つまらない仕事」という言い方を耳にします。

僕は、世の中の仕事につまらないものなどないと断言したい。単調な仕事だとしても、面白くする方法はいくらでもあるからです。たとえば、会議の議事録で考えてみましょう。はじめのうちは、議事録の作成を頼まれると「誰でもできる（つまらない）仕事」と思うかもしれません。しかし、その仕事は何のためにやるのか。その意味と目的を知れば、様々な工夫ができるのです。

会議の参加者の記憶に残すために使うのか。会議を受けて次に進むべきステップを検討するために使うのか。ディスカッションした内容から新たな提言を生み出すために使うのか。

社長や役員に見せるなら、A4版の紙一枚に簡潔にまとめる必要があります。参加者の発言を証拠として残すなら、丁寧に書き込むことが求められます。目的や用途によって、議事録はまったく異なった姿になります。

いまの僕ならば、疑問点、改善策などを載せるでしょう。追加で質問すべきポイント、調査が必要な点、提言を入れるなど、**自分なりの付加価値をつける**ことを意識します。そうすれば、議事録を書くという仕事も、つまらない仕事と感じることはないと思います。

シアトル・マリナーズのイチロー選手は、毎日のように素振りをしているはずです。イチロー選手ほどのスーパースターでも「素振りって単調でつまらない練習だよね」とは言わないでしょう。一般的に、アスリートは気の遠くなるほど単調な基礎練習を繰り返すものです。そうした練習を、単調でつまらないと嘆く一流のアスリートを、僕は知りません。

音楽家も同様です。大学のときに所属したジャズサークルに、天才サックス奏者と常々感心していた1年生の後輩がいました。ある日、朝から晩まで一緒に部室にいる機会がありました。彼は、黙々と基礎練習をやり続けていたのです。

本当の天才は、誰よりも基本を練習するものです。その世界で成功した人は、皆同じことを言います。経営コンサルタントの大前研一さんも、若いころは会社に残って過去のプロジェクトのデータベースを隅から隅まで読んだと聞いています。

つまらない仕事の代名詞のように言われるコピー取りを頼まれたら、コピーしながら資料を全部読んでしまえばいいのです。読んでみると、ビッグプロジェクトが動いている様子や、取引先の真の姿など、自分が担当していない案件の情報に触れることができるかもしれません。

こんな仕事があるかどうかわかりませんが、「資料を全部書き写せ」と言われたとしても、僕は不満に思いません。「データをエクセルに入力せよ」もまたしかり。手を動かせば動かしただけ、面倒くさければ面倒くさいだけ、体や脳に負荷がかかって強くなると思うからです。

一見単調な仕事でも、足腰を鍛えるためには欠かせないものだと考えて臨んでください。**見方を変えることによって、あなたが向き合う仕事はまったく違うものとして見えてくるはずです。**

いかがでしょうか。

この3つが、どんな仕事にも当てはまる原理原則となるものです。

どんなときも、この3つを死守する。

それだけで仕事のスピードが上がっていきます。

と同時に、チャンスが次々とやってくるでしょう。

目の前のチャンスを一つずつものにしていくことで、あなたの仕事は、よりダイナミックなものに進化していきます。仕事はどんどん面白くなっていくでしょう。

そうこうしているうちに、あなた自身が急成長していることに気づくと思います。

まずはこの3つから始めてみてください。

それではさっそく、具体的な仕事のやり方についてお話ししましょう。

目次

はじめに　仕事において大切な3つの原則……1
原則❶ 頼まれたことは、必ずやりきる
原則❷ 50点で構わないから早く出せ
原則❸ つまらない仕事はない

1 何があっても遅刻はするな……20
2 メールは24時間以内に返信せよ……23
3 「何のために」で世界が変わる……26
4 単純作業こそ「仕組み化」「ゲーム化」……30
5 カバン持ちはチャンスの宝庫……34
6 仕事の効率は「最後の5分」で決まる……39
7 予習・本番・復習は3対3対3……42
8 質問はメモを見せながら……45
9 仕事は復習がすべて……48

10 頼まれなくても議事録を書け……50
11 会議では新人でも必ず発言せよ……52
12 アポ取りから始めよ……55
13 朝のあいさつはハキハキと……60
14 「早く帰ります」宣言する……63
15 仕事は根回し……66

コラム❶ 会社選びの3つの基準……70

16 仕事は盗んで、真似るもの……80
17 情報は原典に当たれ……84
18 仕事は総力戦……88
19 コミュニケーションは、メール「and」電話……91
20 本を速読するな……95
21 ファイリングしない。ブクマもしない……99
22 まずは英語を「読める」ようになれ……104

23 目の前だけでなく、全体像を見て、つなげよ 109
24 世界史ではなく、塩の歴史を勉強せよ 114
25 社会人の勉強は、アウトプットがゴール 117
26 脳に負荷をかけよ 120
27 自分にとって都合のいい先生を探せ 123
28 ペースメーカーとして、資格試験を申し込む 127
29 新聞は2紙以上、紙で読め 129
コラム❷ 70歳になっても勉強し続ける意味 132
30 仕事に関係ない人とランチせよ 136
31 スーツは「フィット感」で選べ 139
32 「あえて言わせてください」で意見を言え 142
33 敬語は外国語のつもりで覚えよ 145
34 相手との距離感を誤るな 149
35 目上の人を尊敬せよ 152

36 感動は、ためらわずに伝える …… 155
37 上司にも心を込めてフィードバックせよ …… 159
38 ミスをしたら、再発防止の仕組みを考えよ …… 162
39 叱られたら意味を見出せ …… 166
40 幹事とは、特権を得ること …… 170
41 宴会芸は死ぬ気でやれ …… 174
42 休息を取ることも「仕事」だ …… 178
43 ビジネスマンはアスリート …… 182
コラム❸ キャリアアップは人磨き …… 186
44 苦手な人には「惚れ力」を発揮 …… 192
45 ペース配分を把握せよ …… 195
46 同期とはつき合うな …… 199
47 悩みは関係ない人に相談 …… 201
48 社内の人と飲みに行くな …… 204

49 何はともあれ貯蓄せよ……207
50 小さな出費は年額に換算してみる……211
コラム❹ チャンスをつかめる人になれ……214
おわりに　社会人の「勝負どころ」は最初の瞬間……220
[巻末] 情報源❶ 僕がおすすめする本……234
[巻末] 情報源❷ 僕がチェックしているツイッター……236

入社1年目の教科書

1 何があっても遅刻はするな

台風、雪、車両故障、人身事故、線路内に人が立ち入った。

社会人になって毎日通勤をしていると、こうした理由から起こる電車の遅延に巻き込まれることがあります。車内やホームには、携帯電話を片手に遅刻の連絡を入れる人が大量に発生します。

予期せぬ大規模災害時はともかくとして、このような状況の中、その路線で通勤している新人のあなただけが定刻前に出勤していたらどうでしょう。上司や先輩は「今年の新人は時間にきっちりしているやつだな」という印象を持つのではないでしょうか。

入社1年目は、どんなことがあっても絶対に遅刻をしてはいけません。できるだけ欠勤もしないよう細心の注意を払うべきです。

どんなに早く家を出ても、電車の遅れが発生しないとは限りません。家族に突発的なアクシデントが起こることもあるでしょう。やむを得ない事情があるときを除いては、不慮の事態にも対応できるよう、時間に余裕を持って行動することを心掛けてください。やむを得ず遅れてしまうような場合には、必ず電話で連絡を入れるようにしてください。携帯からメールを送っただけでは、新社会人としては十分な連絡になりません。寝坊は言語道断。上司に誘われたからといって、二日酔いで起きられなかったなどという言い訳も論外です。上司が何事もなかったように出勤していたら目も当てられません。

新卒入社や転職初年度の社員に対して、受け入れる側が最初に持つのは、優秀な人物かどうかという視点ではありません。

「社会人として当たり前のことを、ちゃんとやれる人物か」

人物を値踏みする目が注がれていることを強く意識してください。最初が肝心です。**新人時代の印象でその後のキャリアが決まる**と思って行動してください。

当たり前のことができない人物という、悪い意味で目立つような行動をしてはいけません。遅刻をする新人、よく休む新人などというマイナスイメージを持たれてしまうと、それを払拭し、プラスイメージに覆すのは非常に困難です。

あなたがいくら優秀で高い能力を備えていても、それを発揮する機会を得ない限りは評価してもらえません。上司や先輩に仕事ぶりを見てもらう前に、だらしのないイメージを植えつけてしまっては、周囲からの信頼を勝ち得ることはできないのです。だらしのない新人にはこの仕事を任せるわけにはいかない。別の人間にやってもらおう。**たった一度の遅刻によってチャンスを逃し、あなたの能力を発揮する機会さえ奪われてしまうこともあるのです。**

上司や会社の仲間に誘われて、いつもより深酒をしてしまった次の日。そんな朝こそ、熱いシャワーを頭の上からしっかり浴びて、いつも以上にシャキッと出社してください。

先輩が寝グセのついたまま、ヨレヨレの服装だったとしたら、身だしなみが整ったあなたの姿は、特に評価されるでしょう（多少、午後のひとときにウトウトしてしまったとしても）。

2

メールは24時間以内に返信せよ

メールの返信が遅い人の言い訳として、こんなフレーズを耳にします。

「ちょっとバタバタしていまして」

気持ちはわかります。こんな言葉を口にしたくなるほど、仕事が立て込んでしまうことが僕にもあります。でも、ちょっと考えてみてください。返信を一本書くのに、いったい何分かかるというのでしょうか。

メールの返信は、**対応が早いだけで2割増しの評価を得られる**と考えていいと思います。反対の立場に立てば、相手からの返信がすぐに返ってきたら、その人に対する印象が良くなると思いませんか。

まずは「明日までに返事をします」「やっていません」「これからやります」という途中報告でも構いません。自ら期限を設定することで、次のステップに進むスピードがアップするのです。そういった面からも、メールの返信は可能な限り早いほうが望ましいと思います。

メールに関するもう一つの問題は、内容が簡潔に整理されているかどうかです。最近、知らない人から面会を求められたり、様々な団体から活動に対する援助を頼まれることがあります。それに関するメールをいただくのですが、残念ながら途中まで読んでも僕に何をしてほしいのかがわからないメールが多いのです。

読み進めていくと、最後の最後に「つきましては、賛同のメッセージをいただきたいと思いますので、添付のファイルに署名してください」という内容がようやく出てきたりすると、「それを先に言ってくれよ」という気持ちにさせられます。

僕は長いメールが苦手です。ましてや、最後まで読まないと結論がわからないものは論外です。多忙を極める皆さんの上司も、僕と同じ考え方だと思います。長くなりそうな場合は、冒頭に要件と相手に何をしてもらいたいかということを簡潔に書かなければなりません。

人に何かを頼むとき、言いにくいという遠慮が働きます。そうした気持ちのせいで結論が最後になってしまうのはわからないではありません。このケースでは、こう書けば問題ないのではないでしょうか。

「今回は、面談のお願いをしたくメールをしております。ぶしつけで恐縮ですが、以

下の内容について、お時間があるときにお読みいただければ幸いです」

仕事上の悩みを上司に相談する場合も同様です。だらだらと項目を羅列したメールでは、上司は読む気になってくれません。

「いま、悩んでいる点が3つあります。ぜひアドバイスをいただきたいと思いますので、お時間のあるときに、以下の内容にお目通しいただき、30分ほど面談の時間をいただければ幸いです。よろしくお願いします。岩瀬」

このような要件を冒頭に置き、そのあとに具体的な内容を書くことで、よりわかりやすいメールになると思います。わかりやすいメールを書くことは、結果的に相手に対する気遣いにつながるのです。

3 「何のために」で世界が変わる

「生命保険業界の市場規模の推移について簡単にレポートをまとめてくれないかな。ここ20年に絞って作ってくれ」

こんなふうに仕事を依頼されたとき、真っ先に聞かなければならないことがあります。

「いつまでに必要ですか？」

仕事の優先順位をつけるうえで、**最も重視すべきは締め切り日です。**これを逃してしまっては、いくら出来栄えが良くても意味はありません。

30分後に来るお客さまのために必要な資料であれば、重要なポイントに焦点を当てたレポートを作るべきです。来週までに送りたいという指示であれば、関連したニュースを添えることもできるでしょう。納期によって、仕事のやり方は変わってくるものです。

そして、もう一つ必ず押さえておくべき要素があります。

「何のためですか?」

あなたの問いに、上司からこんなオーダーが返ってきたとします。

「学会で発表するために使いたいんだ。日本経済全体の景気が悪くなっている中、生命保険の需要がどのように変化しているのかを知りたい」

この目的であれば、同じ期間のGDPの推移や、ほかの業界の市場規模との比較を一緒にして提出することができます。

「外国人のお客さまに、日本の生命保険市場の変遷を見せたいんだよ」

この場合は、アメリカやイギリスなどの市場規模の推移も同時に添付してあげれば、より親切な対応だと言えるでしょう。

資料のコピーを頼まれた場合でも、単純作業とあなどってはいけません。

上司個人の予備として保管するためなのか。お客さまに配布するためなのか。会社の共有資料としてファイリングするためなのか。それぞれの目的によってコピーのやり方は違ってくるはずです。さらに言えば、目的によって優先順位すら変わってくることもあるのです。

上司からのオーダーは、その**プロジェクト全体から切り出した一部分です**。通常であれば細かい注文までは出してきません。しかし、**どんな単純作業にも必ず背景があり、大きな目的に沿って動いているのです**。

だとすると、一つ一つの仕事がどこを目指しているのかを知ることで、退屈な単純作業の意味は激変します。モチベーションも上がるのではないでしょうか。

上司としても、指示した以上の仕事をやってもらえると嬉しいものです。気が利く人材だと思われるのは、頼んでいないことまで見越して手配してくれる部下です。仮に付加した情報が見当はずれの内容だったとしても、仕事に向かう姿勢が評価されて、また頼もうと思ってくれるはずです。

あなたが上司だった場合、部下にコピーを頼むときのオーダーとして、どちらがより良い仕事をしてもらえそうだと感じますか。

「これを5部コピーしてくれ」

「取締役会で、社外取締役に対して案件の内容を説明するために必要だから、5部コピーしてくれ」

社外取締役だから、あの資料も添付しておこう。年配の人が多いから、拡大コピーで大きく見せよう。わら半紙ではなく良質の紙を使おう。こうした工夫が生まれるのは、背景を説明した後者のオーダーであることは明白です。

何かを説明する相手が、友人か、両親か、祖母か、子どもかによって、内容が同じであっても、使う言葉も、使うものも変わるのが普通です。社外の人か社内の人か、社内の人でもどういう人なのか、どういう前提条件、知識を持っている人に対するものかを知れば、付加価値のつけ方は変わってきます。

気をつけてもらいたいのは、**いきなり「何のためですか？」という問いを発しないことです。**いったんは「わかりました」と答え、そのうえで「それは何のために使うのですか？」と尋ねるべきでしょう。人によっては、あなたの仕事に対する姿勢を「消極的だ」と誤解してしまう人もいるからです。

丁寧に質問しても「いいから、やれ」と言う上司もいるはずです。それでも、一度は反論してみるべきだと思います。

「もちろんやります。でも、お聞きしたほうが良い仕事ができると思いますので、差し支えなければ、何のために使うか教えてください」

それでも教えてもらえない場合は、しつこく食い下がる必要はありません。しかし、皆さんには聞く権利があることだけは認識しておいてください。

単純作業こそ、その仕事が持つ意味を問い、背後にある大きな目的を意識することで、より良い仕事ができるものです。

4 単純作業こそ「仕組み化」「ゲーム化」

単純作業も「何のためにやるのか」という目的を意識して取り組めば、面白くなると言いました。方法はそれだけではありません。「仕組み化」もその一つです。

「このデータをエクセルに入力してくれ」

上司が指さしたのは、資料の束です。

ここから必要なデータだけを拾って、表計算ソフトのエクセルに入力をする。資料の内容を一つ一つ確認しながら、数字をピックアップして、正しく入力しなければなりません。

単に入力することだけを考えて取り組むと、辛くて面倒な仕事に思えてなりません。このような場合、データ入力をし終わったあとの使い方を想像してみてはいかがでしょうか。

まずは資料とにらめっこ。何のデータを入力するのか、じっくり観察します。

円グラフなのか棒グラフなのか、折れ線グラフなのか。

他業界やライバル企業の数字との比較もありそうか。

そう考えながら入力をしていると、単純作業であるデータ入力も、違った顔を見せるものです。

また、数字そのものを追いながらデータ入力をしていれば、時系列でどのような数字の変化があるのか、規則的なのか不規則的なのか、個々のセルに入力する数字も、並べて眺めてみると何かしらの傾向や大局がつかめることもあります。

もしこの仕事が膨大で単調で退屈な作業だと感じたら、次にデータ入力を担当する人が**効率的に作業を行うためのパターン**を考え出してください。入力する前に、数字にマーカーを引いておく。単位や品目などをあらかじめ打ち込んでおいたテンプレートを用意する。こんな具合に、いくらでもアイデアはあると思います。

つまらない仕事、単調な仕事には改善の余地があると考えながら取り組めば、単純作業も違った様相を見せるはずです。ほかに方法はないのか。あるいは本当にこの仕事は必要なのか。仕組み化を検討したあとは、この作業そのものをなくすことを考えてもいいかもしれません。

新入社員には、単調な仕事が繰り返し依頼されることがあります。その際には、作業を「ゲーム化」することを考えてもいいでしょう。

最初は1時間かかっていたデータ入力を、効率性を追求した結果5分間短縮できたとします。さらにもう5分間のスピードアップを実現するためには、どんな改善を加えればいいかを考えるのです。

僕はこうした単調な作業が嫌いではありません。むしろ楽しんで取り組んでいました。

たとえば、参議院選挙の都道府県別投票率を入力するとします。どうせやるのですから、どれだけきれいに入力できるかということをまず考えてみます。

単純に投票率を入力するだけでは芸がないので、年代別の比較ができるように打ち込んでいきます。それだけでもまだ面白くないので、投票率が高い順に並べ、高齢化と投票率の相関関係を俯瞰できるような資料を作るのもいいでしょう。

どんな仕事にも、必ずその人なりの付加価値をつけられるはずです。頼まれてもいないのに付加価値をつけて情報を渡そうとする姿勢は、必ず他者との差別化につながります。仕事を頼んだ上司の、あなたを見る目も変わってくるでしょう。

「どうしたらもっと見やすくなるか」

「どうしたらもっと効率的にできるか」

常に自主的に工夫を凝らし、提案し、実行し、ほかの人とは違う成果を提出し続ければ、**次に依頼される仕事は、単調なものではなくなるはずです。**

5 カバン持ちはチャンスの宝庫

あなたの会社の応接室で、お客さまとの商談が行われています。あなたはそのお客さまの担当ではありません。デスクで仕事をしているあなたに、上司からの指示が飛びます。

「応接室に行って、お茶を出してこい」

あなたは、どんな思いでその指示を聞くでしょうか。

「そんな仕事、俺のやることじゃないのに……」

そんな不平を感じたとすれば、見方を変えてみてください。お茶を出すということは、商談の行われている空間に足を踏み入れることです。うまくすると、上司や先輩がお客さまと交わすやり取りを聞けるかもしれません。

時間が長引いた場合、途中でお茶を差し替えるために入っていけば、佳境を迎えたやり取りを聞くことができるかもしれません。お客さまに失礼のないお茶の出し方という一般常識を経験できるだけでなく、ほんの一部とはいえ、商談の駆け引きを学ぶこともできるのです。

同じようなことは、いわゆる「カバン持ち」にも言えると思います。カバン持ちという言葉から連想されるイメージは、若いビジネスパーソンにとって忌避すべきものかもしれません。でも、そう嫌がることでもないのです。

課長、部長、役員が、取引先の偉い人に会いに行く場面がそれぞれあると思います。そのとき、こうお願いしてみてはいかがでしょうか。

「ご迷惑でなければ、一緒に連れていってください」

上司は、そうした機会があっても、わざわざ部下に声をかけるようなことはしないものです。もちろん、面会の趣旨によっては「ちょっと困る。別の機会にしてくれないか」と言われるケースもあるでしょう。しかし、たいていの場合は「構わないよ」という返事が返ってくると思います。

リップルウッド・ホールディングスに勤務していたころのことです。CEOのティモシー・コリンズ氏が、日産自動車のカルロス・ゴーン氏に会いに行く機会がありました。絶好の機会と考えた僕は、同行を願い出ました。あっさりとオーケーが出たことにも驚きましたが、訪問したゴーン氏側も「お付きの人が一緒に来たな」程度にしか思わなかったようです。受付で「ゴーン会長とのアポイントです」と伝えると、「取材ですか？」と聞かれました。これほど若い面会者は、マスコミ以外いなかったのでしょう。

もう10年ほど前の話ですからオープンにしても差し支えないと思いますが、その面会の趣旨は、日産自動車に大きな子会社を売ってもらえないか相談する、というものでした。

面白かったのは、応接室に入ってからかなりの時間が経っても、まったく仕事の話を始めないのです。「奥さんは元気かい？」「お子さんはどうしている？」などという話をしているのです。場が和んでくると、ゴーン氏はこんな話をしました。

「この間息子が帰ってきて、こんなことを言うんだ。『パパの会社は一番じゃないの？お前の父さんの会社が一番ではなくて、トヨタが一番なんだぜと友だちに言われてすごく悔しいから、パパ一番になって』。まいったよ、ハハハ」

一方のコリンズ氏も、際どい話題を投げかけます。

「この間ビル・フォードに会ったんだよ。フォードに来てほしいって言われたんだけれど、カルロス、きみフォードに移るかい？」

延々とそうした話をしてから、最後にようやくビジネスの話に入ったのです。

このようにしてトップ同士の対談は進むものだと、肌感覚で学ぶことができました。名のあるビジネスパーソンは、ビジネスディールのときにこういう話をするのか。商談というものはこんな具合に構成し、展開していくのか。**カバン持ちをすることで、一流の経営者が持つ視点やビジネスマナー、立ち居振る舞いを学べるのです。**

若いうちにこうした場をどれだけ経験できるか。ビジネスパーソンとしての成長を加速させるうえで、これは極めて重要なことだと思います。

一流のビジネスパーソンは、若者が同席したとしても、意外と何とも思わないようです。むしろ、声をかけてくれる人が多いものです。

「きみは何年目なんだい？　いまどんなことをやっているの？　この話についてきみはどう思う？」などと声をかけてもらうことも、しばしばありました。

ことは社外に限りません。社内でも、大型案件を役員に説明しに行く機会があったら、ぜひ同行を頼んでみてください。役員が案件の諾否を判断する目線を学ぶことができるはずです。

可能であれば、自分よりもシニアな人たちが集まって行う会議の出席も、頼んでみるといいでしょう。経営判断などナーバスな問題を扱うことから、役員会は問題のあるケースが多いと思いますが、断られても失うものは何もありません。

むしろ、断られることを怖れず、断られることに慣れてください。あなたが失うものは何もありません。自分から積極的に頼まなければ、そうした機会は訪れないのですから。ぜひチャンスをものにしてください。

6

仕事の効率は「最後の5分」で決まる

「ちょっといいかい？」

日々の仕事を進めていく中で、上司から打ち合わせに呼び出される機会が増えてくると思います。

上司とマンツーマンでの打ち合わせもあれば、プロジェクトチームに所属したときなどは、複数の先輩とテーブルを囲むこともあるでしょう。

上司や先輩は、社内にいるままのリラックスした状態で打ち合わせに臨むことがあるかもしれません。しかし、新人であるあなたは、打ち合わせに手ぶらで臨むことだけは避けてください。

人間は必ず忘れてしまいます。記憶ほど曖昧なものはありません。これは新人であろうとベテランであろうと、変わらないと思っています。

記憶だけに頼っていると、誤りや認識違いは必ず起こります。メモやノートを持参し、必要だと思われることは確実に書き取ってください。

これを実践するという前提のもと、打ち合わせが終わったあとにもう一つやるべきことがあります。

自分のデスクに戻ってすぐ、書き取ったメモをもとに、打ち合わせで確認された合意事項をまとめるのです。そして、まとめたものを書き出し、上司に見せながらこう言うのです。

「先ほどはありがとうございました。いただいたアドバイスにしたがって、これから3つのことに取り組んでいきます。方法はこうです。もし、何か考え違いをしているようでしたら、ご指摘ください」

人間の記憶は曖昧だと言いましたが、それはアドバイスをもらったあなたの問題だけではありません。口頭でアドバイスを送った上司にとっても、曖昧さを回避する助けになるはずです。

「いやいや、そうじゃないんだよ。これをやってほしいんだ」

上司の要求を過不足なく理解するのがベストです。でも、その時点で上司に軌道修正してもらうことも、限りなくベストに近いと僕は思います。確認せずに誤った方向へ進んでしまい、しばらくしたあとに慌てて修正しても、それまでに費やした何時間もの時間は戻りません。

合意したことをまとめ、書き出し、確認する。仕事の最後に投資する5分間を惜しまないことで、仕事の方向を誤るリスクから解放されます。そればかりか、何時間という時間を節約する効率性にもつながるのです。

7 予習・本番・復習は3対3対3

いつも忙しそうにしている先輩から尋ねられました。

「今日の会議って、何やるんだっけ?」

わかりません。先輩には申し訳なかったのですが、自分もわかっていないのですから、思いついたことを曖昧に答えるしかありません。

「いやあ、現況報告と今後の見込み案件についてじゃないですか?」


このやり取りはフィクションです。とはいえ、事前にテーマを十分に知らされないまま会議に臨むケースは、意外と多いのではないでしょうか。

会議に入ってはじめてテーマの説明を受ける。そのため、テーマに対する考えを深めることができません。出席者全員がそのような状態ですから、曖昧な議論に終始してしまいます。結局、結論を出せないまま時間切れです。

悪いことに、会議の時間が過ぎると、業務に忙殺されて全員が会議の内容を忘れてしまいます。結論や方向性が示されないのですから、ある意味で当然だと言えるでしょう。会議に基づいたアクションも起こせません。

やがて次の会議の機会がやって来ます。

「……今日の会議って、何やるんだっけ?」

これでは時間がもったいないですよね。

僕の考える会議のルールは「3対3対3」です。

予習(準備)に3、本番(会議)に3、復習(フィードバック)に3。簡単に言えば、**すべてが同じ比率で重要だ**ということです。

先ほどの例では、その比率が「1対9対0」になっています。あるいは「0対10対0」かもしれません。

理想的な会議は、事前にレジュメや資料を全員に配布し、会議のテーマを共有します。会議の場では、参加者が熟考してきた意見を戦わせ、結論を導きます。事前に結論が出ている場合には、その説明をし、具体的なアクションまで決定することができます。

会議終了後は、決定事項を確認します。何を学び、何を合意したかということを議事録に書き留めるのです。そして、それを速やかに全員で共有する。すると、次の会議では前回議論し合意したところから出発できることになります。

会議を例にお話ししましたが、どんな仕事にもこのルールを適用することができると思います。仕事を前に進めるための予習・本番・復習の時間配分は、若いうちから身につけておきましょう。

8 質問はメモを見せながら

依頼された仕事に取り組んでいると、途中でわからない点が出てきました。先輩はすぐ隣のデスクにいます。気軽に質問を投げかけました。

「この点がわからないので、教えてください」

日常的に見られる光景だと思います。優しい先輩であれば、何も言わず丁寧に教えてくれるかもしれません。しかし、これは上司や先輩に対して質問するときの極めて悪い例です。

わからないことが出てきた時点ですぐに頼るクセをつけると、いくら丁寧に教えてもらっても、自分のスキルとして定着しない恐れがあります。本当に部下のことを考える上司であれば「自分で調べたのか」と問い返してくるでしょう。

まずは自分で調べる。理解できた部分とわからない部分を認識する。一通り最後までその問題について考える。自分なりの仮説を立ててみる。そのうえで、理解できない部分を質問する。予習、つまり自分なりの準備をしてから質問するのが、正しい質問の仕方であると思ってください。

つい先日、開業前からお世話になっている社外の人と昼食をご一緒しました。そのとき「一応、ちょっと考えてきたからさ」といって、お店のカウンター席で、一枚の紙を渡してくれました。そこには、ライフネット生命の進む方向について3つのアドバイスが書かれていたのです。

A4用紙3分の1程度の大きさの、箇条書きのシンプルなものでしたが、その人は3つの助言をわざわざ紙に書いてきてくれたのです。理解しやすかったと同時に、嬉しさを感じたことを覚えています。

それからというもの、思考を伝えるには、紙に書くことが望ましいと再認識しました。**言葉が紙に残されていることで、思考も残る**からです。それは、メモを書いたほうも、メモをもらったほうも同様です。

予習をする際、仮説まで考えたら、それを紙に書いてください。**質問をするときには、その紙を上司や先輩に見せながら行ってください。**若者が「質問が3つあります」と言いながらメモを出したら、彼がしっかり準備をしたうえで質問に来ていると いう印象を持たれます。自分の行動を相手に知らしめるうえでも、効果的な行為だと思います。

　入社間もない時期ですから、上司や取引先に質問しようとしたとき、緊張のあまり言葉が出てこないこともあるでしょう。紙に書くという行為は、質問内容を確実に相手に伝えるという意味合いもあるのです。

　リップルウッド時代の上司は、下っ端の僕と話をする際も、必ず事前に要点を書き出して、そのメモを見ながら話していました。経験豊富なビジネスパーソンも実践していることです。皆さんもぜひやってみてください。

9 仕事は復習がすべて

移動中の車内で、皆さんは何をしていますか。

僕はメモ帳を広げることがしばしばあります。一日を通じて気づいたことについて復習するためです。

仕事中に取ったメモを読み返し、新たに気づいたことがあれば、メモに書き込んでいきます。そして、あとからもう一度その内容を読み返します。そうすることで、気づきや学びを定着させることができます。どんな些細な仕事でも、必ず気づきや学びはあるはずです。まずは自分の仕事のヒントとなるようなことを、どれだけ多く気づくことができるか。「気づき力」のような感性を磨く必要があります。

復習をする意味がもう一つあります。**覚えたこと、学んだことを自分のスキルとして定着させるのです。**

人間は忘れる生き物です。復習をしたからといって、すべてを覚えられるわけではありません。でも、復習をしなければ、同じことの繰り返しです。復習によって知識や経験を積み重ねることで、ようやく成長することができるのです。

せっかくの学びや経験をその場限りの出来事で終わらせないでください。その場限りで消費されるものにしないでください。常に積み重ねること、蓄積することを考え、自分のストックにすることを意識してください。

仕事には相手がいます。過去の経験や知識を蓄えようとしない人は、次に相手と会うときのスタートラインにずれが生じます。仕事が円滑に進まないばかりか、相手から仕事に対する意欲を疑われてしまう可能性もあるのです。そう思われてしまった場合、次のチャンスは訪れません。実にもったいないことです。

忘れることを最大限に防ぎ、**知識と経験のストックを増やす**ことで、仕事のスピードも一気に上がります。スピードが上がればチャンスも増え、チャンスが増えればストックも増えるという好循環に身を置くことができます。

どうしても自分で解決できない問題を早く見つけることもできます。わからないことは可能な限り早くつぶしたほうが、前進するときの障害になりません。上司や先輩からフィードバックを受け、人よりも早く前に進むためにも、復習をすることを忘れないでほしいのです。

10 頼まれなくても議事録を書け

議事録の話はこれまで何度か出てきています。若手社員、とりわけ社会に出て間もない新人にとっては、もっとも簡単に取り組むことでき、同時に、基礎的なスキルを身につけることができる仕事なのです。

「岩瀬君、今日の会議の議事録を作っておいてね」

わざわざ指示を出されないかもしれません。それでも、**会議の議事録の作成は自分の仕事**だと思って、頼まれなくても率先して取り組んでみてください。

議事録をまとめて文句を言う上司はいないはずです。そして、遅くとも24時間以内に上司や先輩の手元に届けるのです。もっと早く仕上げられるならば、そのほうがベターです。早ければ早いほど、チームにとってもあなたにとってもプラスになります。

「先に結論を書け」

「テーマ別に要点をまとめろ」

「こんなに詳しく作らなくていい」

自ら進んで取り組んだのだから褒められて然るべきと思いきや、**上司や先輩からは様々な指摘が飛んでくると思います。これこそが財産です。**一つ一つの言葉を、自分の糧にしてストックしてください。近い将来、あなたは100点満点の議事録を書ける力を身につけていることでしょう。

パソコンが一人一台支給されていなかった時代、議事録も手書きで対応していました。書いたものをコピーして、全員に配布していたそうです。

その時代の優秀なビジネスパーソンは、周りの発言を聞き、自分も議論に加わりながら、押さえるべきポイントを把握していたといいます。頭の中でポイントを取捨選択し、順序を入れ替え、その場で議事録を書き上げたそうです。

新入社員時代、最初についた上司から教わったのは**「議事録は時系列で書くな」**というポイントです。その上司が僕に伝えたかったのは、人の話は論点を整理しながら聞けということだったと理解しています。

要点を即座に把握し、課題やメッセージを的確に提示できるようになれば、自分なりの付加価値をつけることはそう難しいことではありません。

そうすることで、あなたの「仕事力」は格段にアップするはずです。

11 会議では新人でも必ず発言せよ

まだ職場やチームに馴染んでいないときに、会議で発言するのは勇気がいることだと思うかもしれません。発言しようと考えるあまり、先輩たちが交わしている議論がまったく耳に入らないこともあると思います。

僕もそうした時期を経てきたわけですから理解はできますが、そうは言っても会議に出席したら**何らかの形で貢献するのが社会人のルール**です。新人であることを理由にして、お客さん気分に浸っていてはいけません。

最初の会社に新卒で入社したばかりのころ、当時の上司にこんなことを言われました。

「お前たち新人は、どうすれば付加価値をつけられるのか、よく考えてみろ」

分析力、問題解決能力などを先輩社員と競っても、現段階では勝てるはずがないのです。上司もそうした能力を求めているわけではありません。新人ならではの貢献をしてほしいのです。

その一つが、**新鮮な目線**です。

経験を重ねたベテランは、蓄積した経験知をもとに、目の前にある問題に対処します。これはできる、これはできるはずがない。判断と言えば聞こえはいいのですが、思い込みに陥ることも少なくありません。

そんなときが新人の出番です。思い込みのない素直な目線で見ることで、思わぬ解決策が生み出されることがあるのです。それこそが、何も知らない若者の付加価値のつけ方ではないでしょうか。

当たり前のことを会議で発言したら、叱られるのではないか。そんな心配は無用です。現に、当時の僕の上司はそうした発言を求めていました。何も発言しないでただ座っている新人より、ずっと見込みがあります。

もう一つが、**現場の感覚を伝えること**です。つまり、情報や生の声を足で稼ぐのです。

優秀なベテランが、過去の経験と理論を背景に、様々な分析を施す。その結果に基づいて方針が決定される。しかし、あなたが足しげく現場に通って、50人の顧客から仕入れた情報が、その方針と正反対だったらどうでしょうか。

過去は過去。現在進行している現場の生の情報のほうが、判断材料としては貴重なのです。それをできるのは若手の特権です。

もしそれでも何もできないというのなら、率先してコピーを取りに走りましょう。お茶を片づけましょう。議事録をつけましょう。

あなたも、れっきとしたチームの一員です。新人、若手というポジションにいるからこそできる形で、チームに貢献することを心掛けてください。

12

アポ取りから始めよ

これで今日のおかずは完成だ。さあ、食べよう！　と思ったら、炊飯器のスイッチを入れていなかった。どうしよう……。

料理の手際がいい人は、こんな失敗はしないでしょう。米を研ぎ、炊飯器のスイッチを入れる。ご飯を炊いている間に、肉や魚の下ごしらえをして、野菜を適当な大きさに刻み調理に取りかかる。おかずができるころには、ちょうどご飯が炊けている。料理の完成から逆算して、時間のかかる下ごしらえから先に手をつけるのが普通です。

仕事も同じです。時間のかかるものから先に仕込むことを意識してください。仕事の中で**自分がコントロールできない部分があれば、作業に取りかかる前にまずそこを埋めることを考えてください。**

代表的な例はアポイントです。

商談、打ち合わせ、会合などの日時を決めるアポイントは、こちらの都合通りに設定できるとは限りません。社会人は、数週間先のスケジュールを調整しながら仕事を進めていますから、2週間後、3週間後にしか相手の時間が取れないということはよくあることです。

資料をまとめて、お客さまに報告する仕事があったとします。このとき、資料の準備ばかりに気を取られ、肝心のお客さまに報告する日時を打ち合わせない人は意外と多いものです。そういった人たちは、資料が完成する目途が立ってからアポイントを取ろうという考え方なのでしょう。

ライフネット生命でも、こんなことがありました。若い社員たちと生命保険の商品設計を検討している中、僕はファイナンシャルプランナーにアイデアを聞く機会を作ろうと発案しました。ある若手に、アポイントを取るよう指示します。しばらくして、日程を聞こうと若い社員に尋ねると、彼はこう言いました。

「ファイナンシャルプランナーへの質問票を作ったり、ほかにもいろいろ準備が忙しくて、まだアポイントは取っていません」

報告日に資料が完成していない事態だけは避けるべきです。相手のことを何も知らないで電話をするのも失礼です。聞きたいこと、伝えたいことをまとめるなど最低限の準備をする必要性は認めます。その意味では、彼らの行動の根拠はわからないではありません。
しかしながら、仕事の進め方としては誤りです。

資料を作成するために時間を費やし、完成の目途がたってからアポイントを入れたら3週間後しか空いていなかった。そんなことになったら、アポイントの日を待つ時間が無駄になるうえ、仕事が前に進みません。もったいないことです。

このケースでは、まずアポイントを取ってください。期日を設定してから準備に取りかかってください。先に締め切りを作り、その日までに完成させることが義務づけられれば、仕事のスピードの底上げにもつながります。そうした観点からも、若手のうちは少々前のめりでもいいと僕は思います。アポイントの電話では、こんな言い方をしてみてはいかがでしょうか。

「今度こういう企画を進めようと考えています。もしご賛同いただけるようでしたら、詳細な企画書を持ってご説明にあがりたいと思うのですが。……。ご興味を持っていただきありがとうございます。早速ですが、お伺いする日時についてご相談させてください。……。かしこまりました、来週の水曜日ですね。では当日、よろしくお願いいたします」

電話を切ってから、企画書を作成する作業に入るのです。十分な時間がないようであれば、上司や先輩にアドバイスを求めても構いません。

新入社員のころ、上司からこんなアドバイスをもらったことがあります。

「いいから、アポイントを入れて、アポイントの電話をかけまくれ」

アポイントを入れて、お客さまに話を聞きに行く。この程度の仕事であれば新人でもできるというのです。

コンサルティングの仕事でいうと、分析や戦略構築能力を競っても、先輩にはまず勝てません。その代わり、**数をこなし、現場感覚を磨くことなら、新人でも付加価値はつけられる**はずなのです。

担当したあるプロジェクトでは、卸売業者さん、問屋さんに手紙を送り、可能な限り電話をかけました。何はともあれアポイントを入れ、話を聞き、仲良くなって情報をもらえる努力をしたのです。それが奏功したのか、普通なら出してくれない資料を見せてもらうことに成功しました。そこには、コンサルティングの常識とは正反対の情報が詰まっていたのです。

「一般論ではそうかもしれませんが、問屋の人たちはこう言っていました」

「本社の人やメーカーの人が来ると、力関係を考慮して仕方なくこう言っているそうです。でも、本当はその方針には反対だと言っていました」

会議の席で、僕はその情報をチームに伝えました。これは、僕にしか得られなかった情報です。若い僕なりの付加価値なのです。

いずれ、上司からこんな指示が来るかもしれません。

「お客さま10件にアポを入れて、話を聞いてこい」

このとき、あなたは何件アポを入れ、何人のお客さまに会いに行くでしょうか？

7件しか行かない人と、20件行く人が出てきます。どちらがより多くの経験を積むことができるかは明らかでしょう。その差が生まれる要因は、話上手か否かではなく、単に電話をかけた本数が多かったことだと思います。

若いうちは、とにかくアポイントを入れるようにしてください。期日を設定することで仕事のスピードが上がります。スピードが上がれば、数をこなすことができるようになります。そして、外部の人にたくさん会うことで現場感覚が身につき、洞察力も高まります。若者らしい付加価値がつけられるだけでなく、知らないうちに経験が蓄積され、成長を加速させることにつながるのです。

13 朝のあいさつはハキハキと

あいさつが大事だということは、誰もが指摘することです。

「おはようございます」

朝のあいさつは元気良く大きな声ではっきりと言ってください。上司や先輩が「おはよう」と言ってオフィスに入ってきたら、**大きな声で「おはようございます」と返してください。**

「小学生に言うような当たり前のことを言わないでくれ」とあなどらないでください。あいさつをしない人、もごもごとつぶやくだけの人が多いのが現実なのです。社会人として成長していくうえでは、当たり前のことを当たり前にできるということが、最も大切なことなのです。

ライフネット生命に少し前に入社した、おとなしい若者がいます。普段の彼は、おとなしく、人と話すときにモジモジするようなキャラクターです。

ただ、朝のあいさつは違います。事務所に入ってくるなり、誰よりも大きな声であいさつをするのです。

あいさつされたほうも、彼の声を聞いただけで気持ちが明るくなります。いつの間にか彼のあいさつが朝の風物詩のようになって、何かの都合で彼が不在のときなどは、寂しくなってしまうほどです。

新人は、まず顔と名前を覚えてもらうことが先決です。そして、「あの人と一緒に仕事をしてみたい」と思ってもらうことも大切。そういう意味では、彼のあいさつは**最高の自己紹介になっている**と思います。

また、自分より偉い人、目上の人にあいさつするのは誰もが意識していることです。利害関係のない人にどれだけ誠実に接することができるか。その対応を見れば、否が応でも人間性が浮き彫りにされてしまいます。

あなたのオフィスにも、ビルの掃除をしてくれている清掃作業員の方が出入りしていると思います。会社とは関係がないからといって、その人たちに丁寧に接することを、つい忘れていませんか。

僕がよく引き合いに出すのは、就職面接のために来社する学生の資質は、受付の担当者が最もよくわかるという事例です。面接官には丁重に接するくせに、受付担当者に対して横柄な態度を取る学生がいまだにいるのです。

そういう学生はまず採用されませんが、社会人になっても考え方は何ら変わりません。社内外を問わず、社会の先輩たちが見ているのは、実はそういうところなのです。

周囲に悪い印象を与えて得をすることは、何一つありません。

誰に対しても公平に接する。ハキハキしたあいさつから、そんなあなたの姿勢も伝わってくるのです。

14

「早く帰ります」宣言する

帰るときのあいさつにも触れておきましょう。

「お先に失礼します」

朝のあいさつと同じように、大きな声で言うことはもちろんですが、ここでは少し違った観点から、帰るときのあいさつを考えてみましょう。

就業時間後にプライベートの予定が入っていたとします。新人のときは、早く帰りたいとは言い出しにくいものです。だからといって、帰る間際になって急にグズグズ言いだして、急に仕事が止まってしまう事態は避けなければいけません。

正直に言えばいいのです。ただし、ルールだけは守ってください。

仕事は、予測可能性がすべてと言っても過言ではありません。早く帰りたいのであれば、できるだけ早く伝えるべきです。

「この日は恋人の誕生日なので、申し訳ありませんが、この日だけはどうしても7時に帰らせていただけますか」

はっきり言われれば、上司や先輩も尊重してくれるはずです。たとえば、1カ月前に言われていれば、調整できない理由はないはずです（最近できたばかりの恋人であれば、そうはいかないかもしれませんが……）。どうしてもその日は残ってもらわなければ困るという場合には、あらかじめそう言われます。その返答次第でプライベートの予定をうまくやり繰りしてください。

早く帰ることが認められたとしても、どこかでその**埋め合わせをしましょう**。

「土曜日に出社しますので、明日は6時に帰らせてください」

「その代わり、この日は朝7時に出社して確認します」

十分に仕事を終えていないまま、毎日のように早く帰るようでは、仕事への意欲を疑われます。入社してすぐは避けるべきでしょう。それでも、ほかの人より2時間早く出社して仕事をしているなら、ほかの人より2時間早く帰っても構わないと僕は思っています。きちんとやるべきことをやっているのであれば、問題ないのではないでしょうか。

多くの著作を持つ著名なビジネスパーソンの方が、若手社員だったころを振り返ってこうおっしゃっていました。

「若いころは勉強したかったので、会社の先輩には9時に帰ると宣言しました。そうすることで、あいつは9時に帰してやらなければいけないというコンセンサスができたのです。それから毎晩、必ず2、3時間は勉強するようにしました」

僕の場合も、事前に宣言して早く帰ることがあります。お客さまとの会食で、少し早めに帰らなければならないときです。あらかじめ「申し訳ありませんが、今日は9時で失礼させていただきます」と宣言すれば、失礼にあたることはありません。

自分の職場であっても、事前にきちんと伝えておけば、失礼にあたりません。ただし、ほかで埋め合わせをする宣言も同時にすることを忘れないでください。

15 仕事は根回し

根回しという言葉にどのような印象をお持ちになるでしょうか。

かつてのサラリーマン社会における悪しき慣習。マイナスメージで捉えている人が圧倒的だと思います。

言葉の印象は確かに悪いかもしれませんが、行為としては必要不可欠なものだと僕は考えています。**論点をより深く掘り下げるために欠かせない、かつ全体の意思決定を短縮する作業**だからです。

一般的に、会議で結論を出すまでには、いくつかの作業フローがあります。

①情報を共有する
②論点を頭出しする
③論点に対する出席者の考えを醸成する
④議論する

⑤結論を出す

会議の場で、これらの行程すべてをやろうとするにはさすがに無理があります。会議にはそれほど十分な時間を費やすことができないからです。

よく見られるのは、企画を提出しても説明ばかりに時間を取られてしまって議論を深める時間がなく、結論を次回に持ち越して終わる会議です。次に開かれる会議でも似たような議論が繰り返され、再び持ち越しで終わってしまう。これでは、いつまで経っても結論が出ません。

会議の場を最大限に生かすには、実のある議論と結論を出すこと、つまり④と⑤に特化する必要があると思います。そのためには、①から③の行程を会議の前に済ませ、参加者からのフィードバックを聞いておく必要があります。これが根回しと呼ばれるものなのです。

フィードバックに不安材料があった場合、その不安は準備することで反論できるかもしれません。いきなり会議本番に臨んで、上司からこう言われたらどう反論しますか。

「企画内容はわかったけど、それ売れないんじゃない？」

あなたがいくら「大丈夫です。売れます」と必死に訴えたところで、説得力はまったくありません。根回しをして「売れないのでは？」というフィードバックを事前に得ていれば、こんな対応ができるのではないでしょうか。

「事前に売れないのではないかというご懸念をいただきましたが、他社の類似商品はこれぐらい伸びています。われわれがアンケートしたところ、こういうデータが得られました。売れない可能性がまったくないわけではありませんが、売れる可能性は高いと考えられます」

こうした発言が出れば、会議はアンケートやデータを踏まえ、市場の動向を勘案しながら販売に踏みきるか否かという議論に移ります。根回しをしたことで、議論は次のレベルに進むことになります。

「基本的なことの合意形成」
「対処可能な反論をつぶす」

根回しとは、行程③と④の間に、こうした作業を入れ込む行為なのです。

僕はいま、政府のＩＴ戦略本部の専門調査会に関わっていて、その部会では関係者を呼んでヒアリングをすることがあります。最近では「医薬品のネット販売規制についてのヒアリング」という回がありました。

販売規制をなくせという人たちと、規制をかけろという人たち、それに厚生労働省の官僚に、ヒアリングに出席してもらいました。

このときも、僕は事前にメールで質問を投げて、事前に回答をもらうようにしています。フィードバックの中で発生した疑問について、さらにもう一度質問をぶつけ、それに対する回答をもらったうえで会議に臨みました。

そのおかげで、部会では聞き足りないことを聞くだけで済みました。出席者全員が多忙を極める中、短い時間を有意義に使うことができたのです。

根回しという言葉が嫌なら、**事前準備、予習という言葉に置き換えればいい**のではないでしょうか。論点をクリアにし、議論を深め、**限られた時間を効率良く使うためには、必須の作業だ**と捉えてください。

根回しは、会議だけではなく企画立案の際にも応用できます。

上司や先輩に事前に耳打ちして得た簡単な反論や不安材料は、調査したり検討を深めたりすることでつぶすことができます。上司とのやり取りは必要最小限で済み、立案から成立までの時間が短縮されることでしょう。それによって仕事のサイクルが早まり、あなた自身の成長もより促進されていくことになると思います。

column 1 コラム

会社選びの3つの基準

「何をやるか」より「誰とやるか」

大学を卒業してハーバード・ビジネス・スクールに留学するまでの間、僕は二度転職しました。帰国してからいまの会社を立ち上げたので、都合4社で働いたことになります。コンサルティングファーム、ベンチャービジネス、投資ファンド、生命保険会社。一貫性がないように見えます。

口の悪い先輩は「お前は飽きっぽいから転々とするんだ」と言いましたが、あとから振り返ってみると、会社選び、仕事選びに際し、僕は共通する3つの要素を基準にしていました。自分の選択には、自信を持っています。

一つは**「何をやるか」より「誰とやるか」**です。僕はこれまで、こういう人たちと働きたい、ということで会社を決めてきたのです。

大学在学中、僕は司法試験に合格しました。にもかかわらず弁護士にならならなかったのは、自分にとってロールモデルとなる弁護士に出会えなかったからです。

合格したあと、事務所訪問のような形で弁護士の先生方と話をする機会がありました。何人の先生とお会いしても、こういう弁護士になりたいという、僕にとっての憧れの対象になるような人とは出会えませんでした。

最終的に入社することになるボストン・コンサルティング・グループで、約2週間のインターンを経験しました。短期間のインターンで仕事内容を把握することはできませんでしたが、「この人たちと一緒に働きたい」「こういう人たちのようになりたい」という思いが強く湧き上がったのです。

彼らと交わした会話、彼らの仕事ぶりから「頭が切れる」ことに魅力を感じたという部分もあります。ただ、それよりも**生き生きと楽しそうに働いていて、高いプロ意識を持っていることに共感を覚えたのです**。そのうえ、頼んでもいないのに一所懸命教えてくれる世話好きでお節介な一面も持っています。30歳、40歳になったら自分もこうなりたい。そう思えたことが入社を決めた理由です。

現在の仕事を始めるきっかけも、人との出会いです。

「僕が応援しますから、一緒にベンチャーをやりましょう」

谷家衛さんという投資家の方にそう誘われたのです。そのときは、どういったベンチャーをやるかさえ決まっていませんでした。

「岩瀬くんにアイデアがあるならそれをやろう。なければ、僕のほうで温めているアイデアがいくつかある」

谷家さんは、とても魅力的な方です。僕は、何をやるかさえ決まっていなかったのに「この人と一緒にやろう」と直感的に決断していました。

会社を起業して恵まれているなと感じるのは、一緒に働く人を選べるという点です。**選考基準は「一緒に働きたい人か」です。**僕はいま、たまたまこの仲間と生命保険会社をやっていますが、この仲間とでなら、世の中でつまらないと言われている仕事でも楽しくやっていく自信があります。

もちろん、起業しなくても人は選べます。人と人が織り成す企業風土やカルチャーは、同じ業態でも歴然とした違いがあると思うからです。三菱商事と三井物産と住友商事。これらの企業のカラーはまったく違います。総合商社に入りたいと思ったら、最も自分にフィットする会社を選べばいいのです。

僕にとって働くということは、尊敬できる人、好きな人たちと時間を共有することです。極論すると、つまらない仕事を楽しい人たちとやるか、楽しい仕事をつまらない人たちとやるか、という選択です。僕は、迷わず前者を選びます。

小さい組織で自分らしさを表現

これまで、僕は常に小さい組織に所属してきました。いわゆる大企業に勤務したことはありません。小さい会社、**小さい組織で働くことは、一人一人の仕事ぶりがよりダイレクトに結果に結びつく**と考えているからです。

司法試験に合格したにもかかわらず、弁護士の資格を取るために必要な司法修習所に行かなかったことはお話ししましたが、司法修習生には750人の同期がいました。一方のボストン・コンサルティング・グループは、僕を含めて3人です。3分の1のほうが、750分の1よりも自分らしさを表現できる。これも弁護士にならなかった理由の一つです。

リップルウッド・ホールディングスに在籍していたときのことです。ボーダフォンが約3000億円で日本テレコムを買収する案件がありました。リップルウッドは、その案件を10人のチームで進めていました。同時期に、静岡の自動車部品メーカーを、約150億円で買い取る案件も進行していました。

大型、かつ華やかな案件なので、多くの人は日本テレコムの買収案件に関わりたがっていました。しかし、僕は上司と二人で静岡の案件を担当することに。むしろ、こちらの案件を担当したいとさえ思っていました。最初から最後まで、すべての業務を自分が担当できるからです。そのほうが勉強になるし、仕事としても楽しいと考えたからです。日本テレコムの案件を担当していたら、全体の中の一部分しか見ることができなかったでしょう。

組織でもプロジェクトでも、若いころは大きくて華やかな仕事に携わりたくなるものです。しかし、大きければ大きいほど、自分が関与できる部分は少なくなっていくと思ってください。華やかな大きな仕事より、むしろ**誰もがやらない地味で小さい仕事をすべて引き取ったほうが、勉強や経験になります。**その仕事を、自分らしく仕上げることに全力を上げるのです。

同じ著者でも、編集者によって本の仕上がりが違ってくるように、どのような仕事であれ、人によって形が違ってくるものです。翻って考えると、仕事をするときに、必ずひと工夫して自分ならではの味つけをすることが大事なのです。

究極の目標は、自分にしかできない仕事をやること。皆さんも「自分がやらなかったら、こういう形の成果は表れなかった」と言えるように、仕事にスパイスを入れるべきでしょう。

ライフネット生命の社長の出口には、よくこんなことを言われます。「岩瀬君がいなくても、生命保険会社は創れていたと思う。でも、それはおそらくすごくつまらない、おじいさんっぽい保険会社だったに違いない」

あなたがいなくても、会社が潰れることはありません。業務が止まることもありません。僕だって同じです。

でも、**人一人の雰囲気と行動組織全体を変える力を持っています。**

社会に対して発信する内容も、お客様との触れ合いも、人によって違います。せっかく仕事をするのですから、単なる機械の歯車にはなりたくありません。「あいつがいたから違うよね」と言ってもらえるような仕事をしたいものです。

次世代に残すことができるか

皆さんは、思春期に「何のために生きているのか」と考えることがあったと思います。その問いから派生して、どういう仕事をしたらやりがいが得られるだろうか、ということを僕は考えました。高校生だった僕は「人に影響を与える仕事をしたい」という答えに行きつきました。自分がこの世に生きた証を残したい、社会に自分の足跡を残したいと考えたのです。

証といっても、何も後世に語り継がれる偉業でなければならないわけではありません。**死ぬ前に「懸命に生きた」「力を出しきった」「いい人生だった」と思えること**が大事なのだと思います。子どもや孫に「こんな仕事をしたんだよ」と胸を張って言える。もっとあれをやっておけば良かったなどと死ぬ間際に後悔しないように生きたいのです。

そのためには**「残す」**という言葉がキーワードになってくるのではないでしょうか。たとえば教育者。皆さんの誰もが小学校、中学校、高校の先生を覚えているように、僕の心の中にも鮮烈な印象として残っています。その先生方から受けた影響も、きっとあると思っています。

　僕は自分の仕事や生き方、考え方を本として世に残すことができています。これはとても幸運なことです。本そのものがなくならない限り、子どもや孫に読んでもらうことができるからです。

　自分の仕事を定期的にブログに書いたり、1年間に成し遂げた仕事を家族に伝えたり、ほかにもいろいろな形があると思います。

　リタイアしたときに、自費出版で「私の履歴書」を書くつもりで、ストックとして残してください。ハーバードに留学した日々を僕が本にした（『ハーバードMBA留学記』）のもそれに似ています。行く前から密度が濃く、学びの多い2年間になると思っていましたが、**記録に残さなければ忘れ去られてしまう**と思ったからです。

　自分の子どもに語り継ぐとしたら、無難な人生よりも、何かを変えようと果敢に挑戦した人生のほうがいいと思いませんか。

　たとえば次のような二人の父親の話を想像してみてください。

　あるサラリーマンのお父さんは、会社や上司のことをグチりながら働きました。挑戦もせず、リスクも取らず、着々と出世して、最後は部長で退職しました（実際に部長として頑張っておられる方に対して言っているわけではありません。あくまで、たとえです）。

もう一人のお父さんは、会社を飛び出して事業を手掛けましたが、どれも失敗します。しかしへこたれることなく新たな事業に乗り出し、成功を収めました。泣いたり笑ったり、それは忙しい人生でした。

いずれも「いい人生だった」と振り返れればいいと思いますが、起業家としては、後者のお父さんの人生のほうがワクワクします。このお父さんの子どもも、親の背中を見て、新しいことに挑戦してくれるでしょう。無難な物語よりも面白いと感じるのは僕だけでしょうか。

やみくもに起業しなさいと言っているのではありません。どういう生き方を子どもに語り継ぎたいか。自分の子どもにどういう人生を生きてほしいのか。それを体現するのが仕事だと思うのです。

すべての仕事は社会性があるから存在しています。だからこそ人さまからお金をもらい、利益を出して存続しているのです。そういう意味では、誰もが大事な仕事をしていて、誰もが社会に足跡を残していると言えるでしょう。

しかし**「この仕事を通じて、自分は――」といった自分なりの物語を作り**

ながら働くことで、厳しい局面でも踏ん張ることができ、いい仕事をしたと納得できるのではないでしょうか。

16 仕事は盗んで、真似るもの

多くの企業の教育制度、研修制度は現在、非常に充実しています。

その恩恵に与かっていると、仕事は教えてもらうものだという受け身の姿勢が身についてしまうのはやむを得ないことかもしれません。でも、勘違いしないでください。仕事について教室や研修で教えられることは、限られているのです。

新入社員のころ、僕は常に先輩の横にくっつくようにしていました。お客さまへの質問の仕方、メモの取り方など、すべてを真似しようと考えたからです。

上司や先輩に頼んで、普段見られない場所に連れていってもらうことは、得難い経験になるとお話ししました。僕が強調したいのは、そこで見聞きしたことを真似て、自分の中に取り込むことです。**仕事は真似ること、盗むことでしか身につかないと言っても、決して言い過ぎではない**と思います。

もちろん、人それぞれのスタイルがありますから、すべてのことを真似する必要はありません。自分が良いと思ったこと、自分に合ったスタイルを見つけたら、積極的に真似していけばいいのです。

最初の会社で一緒に仕事をした矢吹博隆さんは、何でも数字に換算しながら仕事をする方でした。定性的なことも、すべて数字に落とし込んでいくのです。徹底してロジックを積み上げていくと、説得力が増すということを学び、そのスタイルを真似しました。

同じくボストン・コンサルティング・グループで別の上司だった御立尚資さんは、タクシーから降りるときには必ず運転手さんに丁寧に声をかけ、頭を下げていました。

「偉い人は、そういう気配りが大切なのか」

御立さんの気配りする姿が忘れられず、いまは僕もそうしています。運転手さんに対して彼が横柄な態度を取っていたら、運転手さんに「お世話さまでした」とお礼を言う習慣は、身についていなかったかもしれません。

リップルウッド・ホールディングス時代の上司は、とにかく相手を注意深く観察する人でした。交渉の席でも食事の席でも、穴のあくほど相手を見るのです。相手の心理や癖を見抜き、ビジネスに生かす彼の姿から、**観察力を磨く大切さ**を学びました。

ほかにも、アメリカ育ちのため、日本語が必ずしも流暢ではない日本人と仕事をする機会がありました。交渉が大詰めを迎えたとき、本当にその商品を売り込みたいとき、彼は嘘をつかない範囲で目いっぱいストレッチした営業トークをする人でした。大丈夫です、と大きく出る。自分たちの良いところを強調して決断を迫ったのです。

コンサルタントは優等生です。正しいことしか言いません。しかしながら、それでは取引してもらえず、取引してもらえなければ実績ができないという悪循環に陥ってしまいます。ベンチャーの視点で言うと、ときには正論を度外視して切り拓かなければならない場にいずれ直面するものです。「大丈夫です」と言いきる彼の姿勢を学んだおかげで、局面によっては大きく出ることを武器にしています。

リップルウッド・ホールディングスでは、よく上司の個室に呼ばれました。

「岩瀬君、今日の日経のこの記事読んだかい?」

「読みましたが、何か?」

「面白かっただろ」

「はい? どこが面白いのでしょうか?」

「この記事はこう書かれているけど、つまりこういうことだろう。これを深く考えていくと、こういう結論を導くことができるんじゃないか」

上司は、たった一つの記事から様々なことに考えを派生させていく人でした。情報は一方的に受け取るものだと思っていた僕は、そうしたやり取りを何度も重ねるうちに、情報の読み方が変わったのです。

上司でも先輩でも同期でも構いません。ほかの人がやっていることを見て、自分もそうありたいと思ったら、すぐに真似をしてください。**新たに気づかされたことがあったら「へえ～、すごいね」で終わらせないでください。**

自分のスタイルを形成するには、他人から盗み、真似ることが不可欠です。多くのことを吸収して成長したいと思ったら、いろいろな人に会い、いろいろなものを見る必要があることを強調したいと思います。

17 情報は原典に当たれ

よく「グラフに騙されるな」と言われます。

右肩上がりのカーブが描かれているグラフが二つあり、一方は急角度、もう一方はなだらかな角度を示しています。このグラフを並べて比較すると、急角度で上昇するカーブのグラフが急成長を表し、なだらかなカーブのグラフが緩やかな成長を表すと認識してしまいがちです。

しかし、急角度のグラフの目盛りが一単位当たり500、緩やかなグラフの目盛りが一単位当たり5000だったらどうでしょうか。急成長と思われたグラフが緩やかな成長を表し、緩やかな成長と思われたグラフが急成長を表す。グラフの目盛りの取り方一つで、印象は左右されてしまいます。

見せ方によって情報は姿を変えると自覚してください。自ら情報の出所に当たり、第三者から提示された情報を鵜呑みにしないよう心掛けてください。

マスコミに関しても、報道を正しく解釈するために、リテラシーは必要です。

自分がメディアに取り上げられる側になってわかったのは、情報というものは編集されて伝えられるということです。ある発言をした場合、歪曲されるとまでは言いませんが、文脈が無視されることもしばしばあります。そうした経験をしたからこそ、こう強調したいのです。

「情報は疑ってかかれ」

「物事には常に表裏両面がある」

新聞を書いているのも、テレビを制作しているのも人間です。絶対的な真実などありません。書き手や制作者のフィルターは、何かしらかかっています。

そうした弊害から逃れるためにも、必ず原典に当たるべきです。ただ、どの情報が原典なのかを探し出すのはなかなか難しいもの。その際は、使用した資料に書かれている参考文献が手掛かりになります。

何かを調べようとしたとき、書店や図書館で書籍を探したり、インターネットで検索すると思います。関連する資料に行き当たったら、その資料にある参考文献にも当たってください。その文献にも、さらに参考文献が書いてあります。そうしてさかのぼっていけば、目指す原典にたどり着く可能性が高まるのです。

これまでの経験上、**最も効率的な情報収集は、過去に情報収集した人のリストを使うこと**です。ゼロから始めるのは、手間と時間がかかります。しかも、自分ではとても探し出せないような、面白い情報も出てくるかもしれません。

社会人になって1年目、上司から**「resourceful」**という評価をされました。**情報を集めてくる能力が高い**ということです。

どのような方法で情報を集めたのか。一つは、これまでお話ししたように「参考文献の参考文献の参考文献……」をたどり、芋づる式に掘り起こす方法です。情報を集めるとき、僕はいまでも同じ方法を使っています。

つい最近も「ガンになったときの医療費」というキーワードで検索を進めていると、ある新聞記事がヒットしました。記事を読んでいくと、探していた「ガンになったときの平均医療費」という数値が掲載されていました。

その数値を参考にするとともに、数値の出所に書かれているNPO法人の名称に注目しました。今度は、そのNPO法人を検索します。やがて法人のホームページに行き着くと、連絡先を見て担当者にアポイントを入れました。会って話を聞くと、新聞記事の数値を導き出すために彼らが調べたデータなど、様々な情報を出してくれたのです。

上司に「resourceful」という評価を受けるきっかけとなったもう一つの情報収集スキルがあります。

当時、上司からアメリカの通信業界のことを調べろ、ある新しい技術の動向について調べろというオーダーが来ました。まずはインターネットで調べます。検索するうち、同業のベンチャー企業が10社ほどあることがわかりました。僕は、その10社すべてにメールを送りました。

「こちらは、ボストン・コンサルティング東京の岩瀬です。現在、アメリカの通信業界について調査を進めておりますが、差し支えなければ以下の質問に答えていただけませんでしょうか」

3社から返信が来ました。そのメールで得た情報をお客さまにお伝えすると、非常に喜ばれました。上司からもお客さまからも「お前はフットワークが軽い」という褒め言葉もいただいたのです。

頼み方さえ誤らなければ、同業他社やライバル企業でも、情報を提供してくれるところはあります。くれぐれも**「教えてくれるはずがない」などと、最初から諦めないでください。**先入観を取り去り、フットワークを軽くすることで、思いがけず原典にたどり着くことさえあるのです。頭だけでなく、手と足も使ってやってみてください。

18 仕事は総力戦

「スピード」
「質の高さ」

実際のビジネスで求められるのは、こうした要素だとお伝えしました。そのためには、何を使っても、誰の助けを借りてもいいのです。僕が「50点で構わないから早く出せ」と強調するのも、**ビジネスはたった一人で成し遂げるものではない**ということを理解していただきたいからです。大学入試のカンニング事件がニュースになりましたが、受験と仕事は求められているものが違います。

新人だからこそ認められたい。自分の力を試してみたい。そういう心理が働くのはわかります。しかし、現時点のあなたがいくら時間をかけても、残念ながら100点満点の成果は出せません。

だとしたら、50点の成果を早く提出し、上司や先輩を含むほかのリソースを総動員して、一刻も早く100点に仕上げるべきなのです。

繰り返しになりますが、自分ですぐに調べられることは自分でやるべきです。ただ、調べられるかどうかわからない微妙なラインにあるときは、最初は聞いてしまってもいいと思います。

「この問題は、こうやったら調べられる。次は調べてから来い」

上司からそう言われればしめたものです。わからない点を教わるのではなく、わからない点の「調べ方」を教わる。そうした経験を積んでいけば、自分一人で取り組んだ仕事の成果を、50点から100点に近づけることができるのです。

仕事に関わるすべてのことに精通するのは理想です。とはいえ新人の場合、現段階でそこまで詳しくなる必要はないと思います。直属の上司に聞いて解決するか、そこでもわからなければ、詳しい人間を探し出すことができればいいのです。

最初から誰がどの分野に強いかなどわかるはずありません。回りくどい言い方になりますが「詳しい人を知っている人」に聞いてください。周囲には、過去に様々なプロジェクトに関わった上司がいるはずです。

「このテーマは、誰に相談すればいいですか?」

「それだったら、あいつが同じようなプロジェクトをやっていたよ」

直接その人に聞けば、かなり深い知識を得ることができます。それをきっかけにして、社内のほかの部署に人脈もできるおまけまでついてきます。

ビジネスは総力戦です。企画書の作成に上司の力を借りたからといって、取引先から「ずるいよ」と言われるでしょうか。取引先としては、質の高い企画を早く提示してくれれば、それで満足するのです。あなたの周りにいる人たちを総動員させて、早く、質の高い仕事をしていきましょう。

19 コミュニケーションは、メール「and」電話

メールをもらった相手に、電話をかけることがたびたびあります。

「メールありがとう。ところでいま、どうしているの？」

久しぶりにメールをくれた相手には、そんな言葉を送ります。メールのやり取りをしていると、表情が読み取れないこともあって、言葉を端折って送ると、誤解が生じることもあります。そうしたことが起こると、僕はすぐに電話をします。

「ちょっと待って。ごめん、ごめん。誤解だよ」

メール世代、携帯世代という言葉があります。現代は、若い人のコミュニケーション手段として、メールが主流になっていると思います。

ビジネスの現場でも、メールによるコミュニケーションが主流だと言っていいでしょう。そんな時代だからこそ、僕は電話や対面によるコミュニケーションを重視しています。

「ごめんね、忙しいのに電話をしてくれてありがとう」

「こっちこそごめん。ちょっと言い過ぎたよ」

相手の声を聞くと、気持ちが和んだり、怒りがやわらいだりするものです。あえて電話をすることで、相手が喜んでくれることもあります。電話での会話の流れによっては、ランチの約束につながることもあるでしょう。**直接話すこと、会うことは、最も有効なコミュニケーション手段**だと認識してください。

仕事をするうえでも、メールを送れば事足りると考えてはいけません。

「この前メールした件ですが……」

上司にそんなことを言っても、何の件かわかってもらえない可能性があります。立場が上がれば上がるほど、丁寧にメールに目を通せていないことがあると思って間違いないでしょう。

会社や立場によるでしょうが、新人が受け取るメールに比べて、上司は数10倍、場合によっては100倍以上のメールが毎日のように届けられます。すべてのメールに細かく目を通す時間は、物理的にありません。

相手の立場で考えれば、答えは簡単です。メールを送ってから、上司のところに足を運べばいいのです。

「先ほどメールした件でご相談したいことがあります。たぶん、お読みになっていないと思うのですが……」

コミュニケーションは**メール「or」電話ではなく、メール「and」電話が基本です。**

過去に逆戻りしているという誹りを受けても、添付ファイルは印刷して持っていってください。本当に大事な案件は、送ったメールをプリントアウトして、重要なポイントにマーカーを引いて、口頭で説明する。このくらいやってもやり過ぎではありません。

デジタル派を自認している人の中には「プリンターなんか使わないよ」と言う人もいると思います。しかし、現在のビジネスシーンでは、おそらくまだ多数派ではないと思います。

逆にやってはいけないのはメールに「重要度高マーク」をつけて送信することです。最近でこそ少なくなりましたが「開封要求」もしないでください。

あなたにとって重要なことが、相手にとって重要とは限りません。どうしてもつけたいというのなら、相手にとって重要度が高いメールだけにしてください。ただし、相手にとって重要度の高い内容であれば、電話や対面などでフォローアップして然るべきです。

「先ほど××の件でメールを送りましたが、届いていますでしょうか？」

「本日の○時に送信しましたメール、○日までにお返事をいただきく……」

この一言が、ビジネスを動かすのです。

メールは、完璧なコミュニケーション手段ではありません。多くの部分が簡略化されている不完全さを認識してください。電話、対面によるコミュニケーションで補ってこそ、メールの効果も発揮されるのではないでしょうか。目的は「メールを送ること」ではなく、**「重要なことを確実に伝えること」**だということを忘れずに。

20 本を速読するな

「読書は、著者との対話である」

ライフネット生命社長の出口がよく口にする言葉です。

対話しているときに、自分の話を聞き流されたり無視されたりするのは、誰だって嫌なはずです。ゆったりと向き合って、じっくり何度も何度も読むべきだというのです。

僕も出口の考え方に同意します。濫読が嫌いで、読むと決めたらじっくり何度も読む習慣が身についています。

現代は多くの人が速読を推奨していますが、僕はその立場に与することはできません。本を読むこと自体が目的ではないので、5冊速読するくらいなら1冊の本をじっくり読むべきだと思っています。

じっくり読む価値のない本は、読まなければいいのです。これも出口に言われたことです。

「古典を読んで理解できなかったら、自分がばかだと思いなさい。新しく書かれた本を読んで理解できなかったら、作者がばかだと思いなさい」

古典は、時代の試練を耐え抜いて継承されてきたものです。含蓄を汲み取り、深く理解すべきものだと思います。しかしながら、新しい本を手にして理解できなければ、それは本を書いた著者の責任だと考えて構いません。

お金に余裕があれば、ある分野に関する本を20冊ぐらい「大人買い」してみるといいでしょう。本の冒頭を読んでつまらなければ、読まなくていい。どんどん捨ててしまってください。できれば、そのお金は惜しまないでください。

どうしてもお金をかけたくなければ、立ち読みや図書館を利用してください。そして、じっくり読める本に出会うまで、そのサイクルを早く回していくのです。

フィットネスクラブに入会しようと考えたとき、立地、営業時間、雰囲気、風呂、インストラクター、機材など、様々な要素を吟味して選ぶものです。一度入会しても、気に入らなければほかのクラブに替わるのが普通でしょう。

本もまったく一緒です。自分にしっくり来るもの、しっくり来ないものがあると思います。**しっくり来るものが見つかるまで探してください**。見つからなければ、いくらでも替えればいいと思います。
たとえじっくり読める本に出会ったとしても、読みっぱなしでは意味がありません。たった3行でも構いませんから、**必ず感想文を書いてください**。

これは仕事の復習と同じ考え方です。その本から何を学んだのか。自分の仕事にとってどういう意味があるのか。思い浮かんだ考えをアウトプットして、自分のストックにしてください。

ただし、誤解してはいけません。3時間の読書で得られるものは、3時間なりの価値しかないのです。3時間で読んだ本に膨大な英知が詰まっていて、それを読んだことで一気にパワーアップできると考えないでください。1回の読書に、多くを期待してはいけません。

ハーバード・ビジネス・スクールに留学した当初、僕はとにかく懸命にメモを取っていました。すべてを学ぼうとした当時の僕は、80分の講義で20個の学びを得たと有頂天になっていました。

日が経つにつれて、学びは300個、400個と積み上がっていきます。僕の能力では覚えようがないほど、膨大になってしまいました。

それに気づいてからは、80分の講義で最も重要な学びを一つだけ書くように変えました。それでも、1年もすると200個、300個と蓄積されていくので、大きな学びになったのです。

読書をするときも考え方は同じです。本に書かれていることすべてを学ぼうとしなくて構いません。

結局のところ、仕事はオン・ザ・ジョブでしか学べないのかもしれません。ペン習字の本を3時間読んでも字はきれいになりませんし、本を読んだだけでクリティカル・シンキングができるようになるわけではありません。

だからといって、本を読むことが意味のないことだと言っているのではありません。本を読むときは、**1冊を慌てずじっくりと読み、その中から大きな学びを一つ得られればいい**という程度の軽い気持ちで十分ではないでしょうか。

21

ファイリングしない。ブクマもしない

世界一周旅行を企てた友人がいます。1年半にわたる壮大な旅です。

彼は、そのときの情報ツールとして『地球の歩き方』(ダイヤモンド・ビッグ社)が不可欠だと考えたそうです。これは、リップサービスではなく、事実です。

とはいえ、合計100タイトル以上ある本そのものを持ち歩くのは現実的ではありません。彼は買ったすべての本をスキャンして、パソコンに取り込んで旅立ちました。

こんなことが難なくできる時代です。ビジネスを進めていくうえでも、紙で保存しておくべき情報はあまりなく、したがって紙の資料をファイリングする必要はほとんどないと思います。特に必要なものに限っては、PDFにするなりしてパソコンに保存しておけばいいのです。

最初の会社に入社したばかりのころ、業界では有名な「伝説の天才」と呼ばれる上司の部屋を訪ねたことがあります。

彼の部屋を見て驚きました。何もないのです。聞くと、天才上司は書類をすべて捨ててしまうというのです。情報を取捨選択し、必要なものだけを残した結果、何も置いていない部屋になったと言います。

入手可能な情報を集めるだけ集め、あとで整理しようと考えると、余分な情報まで手元に残ることになります。**どこにあるかがわかっている情報は、収集する必要はありません。**

もちろん、中には誰かがファイリングして持っていなければならない資料もあるでしょう。特に若手は、チームのためにファイリングする役割が課せられることもあるかもしれません。その場合を除いて、少なくとも自分のためにファイリングをするという考え方は持たなくていいと思います。ファイリングだけされて、まったく使われないまま放置されている資料が膨大な数にのぼるからです。

情報は**ファイリングすることが目的ではありません。使わなければ意味がないのです。**ファイリングするに値する重要な資料だとしても、資料のすべての箇所が大切なわけではありません。

情報を整理する以前に、収集する時点で取捨選択し、重要なところだけを切り取って保存することを意識してください。その手段として僕がおすすめするのは、使える情報だと思った部分をノートに書き写すことです。

「潜在成長率を高めるためには、成長のエンジンである民間企業が自由に競争して技術革新を起こせる環境を整えることが大事である。そのためには――」

ある本を読んで、使えると思ったフレーズです。このフレーズをノートに書き写し、常に携行しています。この方法によって、使える情報のストックをもっと増やしたいと考えています。それが高じて、最近ではビジネスと直接関係ないことにもこの手法を使っています。

時代小説作家の山本兼一さんの著書『利休にたずねよ』（PHP研究所）には、美しい日本語が随所に散りばめられています。僕も美しい日本語を使えるようになりたいと思い、いくつかを書き出しています。

たとえば「間（あわい）」という語です。

天地の間（あわい）などという使い方をする語ですが、「あいだ」ではなく「あわい」という響きが何とも美しく感じたのです。普段は使わない言葉ですが、何かの場面で美しい日本語が使えると思いメモしています。

使えると思った情報、参考になる部分だけ書き写しておけば、本や資料そのものは不要になります。ファイリングする必要もなくなります。情報をまるごと収集すると、集めた時点で安心してしまい、使わないで溜まっていくことが往々にしてあるものです。

自分の身に落とし込むには、書き写して自分の言葉に置き換えたほうが効果的だと思います。**アウトプットすることを想定して書き写しているからです。**目で読んでいるだけでは、情報を使いこなすまでには至らないような気がします。

書き写すことはたいへんな労力です。かなりの分量の情報を捨てることにもつながります。それが不安だという人は、情報の重要度を判断できないのかもしれません。アウトプットをイメージできないため、どの部分を抜き出せばいいのかわからない。だからこそ、すべてを保存しなければ気が済まないのです。

このことは、紙の情報に限ったことではありません。ウェブで情報を検索する場合も一緒です。

何かの情報を集めようと検索をかけて、ヒットした情報を片っ端からブックマークする人がいます。**ネット上にあるとわかっている情報を手元に集めても、まったく意味はありません。**ヒットした情報の中から、残すべき情報を選択する能力を養うほうが重要なことなのです。

余談になりますが、検索、情報収集という観点から見れば、ツイッターはおすすめのツールです（236ページで僕がチェックしているツイッターを紹介しています）。

とはいえ、芸能人のつぶやきを見る必要も、自分自身がつぶやく必要はありません。ウォール・ストリート・ジャーナル、CNN、エコノミスト、ニューヨーク・タイムズ、日本の優れた論壇の人のつぶやきのリンクから、有益な情報源にたどり着くという使い方は有効だと思います。

22

まずは英語を「読める」ようになれ

これからのビジネスパーソンにとって英語は必須だという意見には、僕も賛成です。何かを調べようと考えたときに、日本語よりも英語のほうが圧倒的に多くの情報を手に入れることができるからです。

僕の感覚では、世界中に存在する情報のうち、日本語と英語の情報量の比は1対100ぐらいだと思います。当面は、話せなくても書けなくても構いません。何の抵抗もなく、しかも**速く読める能力だけは、急ピッチで習得してください。**

この前提を理解していただいたうえで、ここから先は英語全般についての僕の考えをお伝えしていきたいと思います。

ニューヨークでタクシーに乗ると、中国人やロシア人、アメリカに渡って間もない非英語圏のドライバーが目につきます。彼らは、乗車した客と英語を使ってそれなりの会話をしています。

アメリカやイギリス、ほかの英語圏で生活すれば、誰だって英語を読み、話すことができるようになっています。彼らは、決して賢いから話せるようになったわけではありません。英語に触れる時間が長いから使えるようになったのです。

つまり**英語をマスターする秘訣は、とにもかくにも時間をかけることです。**

英語に対する恐怖心を持っている人もいると思いますが、英語はそれほど難しいものではありません。十分な時間さえかければ、誰でもできるようになります。英語ができるようにならないという人の理由は単純で、時間を使っていないだけなのです。時間をかけるための方法も簡単です。続ければいいのです。続けるには、ペースメーカーを作ることが有効だと思います。

ペースメーカーも人それぞれです。体を鍛えるときに、フィットネスジムには入会せず、家の周りを走れば事足りるという人がいます。英語に当てはめると、無料のラジオ英会話を聞いて勉強する方法などがそうでしょう。

設備の整ったジムで、有能なトレーナーから指導を受けないと体を鍛えた気がしないという人は、英会話学校に通って勉強するのが合っているのかも。

どちらがいいということではありません。本、ラジオ、スクール、家庭教師など、英語を勉強する手段はいろいろありますが、その人のペースメーカーとして合っているか、やり方を選べばいいだけです。

そして、漠然とやっているだけではマスターする速度は早まりません。何でもいいので、明確な目的意識を持つ必要があります。英語を使って仕事をしたい、外国人の恋人を作りたい、3カ月後に英語でプレゼンする。自分でゴールを設定するか、ある程度強引にでも**英語を使う場面を作ったほうが効果的**です。

「外国の会社を買収して日本人を送り込めば、誰でも英語はできるようになる」

確か楽天社長の三木谷浩史さんが言われた言葉だったと思います。どんなに英語ができない人でも、現地にいきなり送り込まれて半年もすれば、絶対にできるようになる。英語で仕事を進めなければならないという目的が目の前にあるため、必死に勉強せざるを得ないからです。

社長の出口も、「日本の学生が、英語ができるようになるには、就職試験でTOEIC®テスト900点が最低基準という条件を設定すればいい」と言います。入社のために必須だというモチベーションさえあれば、誰でも必ず勉強するからです。必要に迫られないから勉強しないのだとしたら、**いかにして英語を勉強する動機づけをするか**ということにかかってくると思います。

モチベーションを上げて勉強を続けていても、いずれ壁にぶつかります。英会話で最も難しいと言われる「コンテクスト（文脈）」です。

レストランに食事に行ったときに「ハシがない」と言えば、その「ハシ」が橋ではなく、箸であることは容易にわかります。それはコンテクストを理解しているからです。

米国の大学院に留学しているとき、授業のやり取りは100パーセント理解できていました。しかし、夜のバーでみんながお酒を飲みながらスポーツやテレビ番組の話で盛り上がっていても、何を言っているのかわかりませんでした。僕は子どもの頃は海外で育ちましたが、大人になってからは欧米の文化に触れていないため、そういう話題についていけないのです。

その点**ビジネス英語は、90パーセント以上の文脈が共通しています**。まったく違う業種だと難しいかもしれませんが、同じ商売をしている人であれば、英語はそれほど通じていなくても、言葉が持つ周囲の空気を共有しているので、何となく雰囲気は伝わるものです。

死亡率、引き受けリスク、病気、支払い、詐欺。保険業界であればだいたいそんな話が出てきます。それほど英語ができなくても、お互い通じ合えるでしょう。

さらに言えば、ビジネス上の英会話では、使われる言葉がだいたい決まっています。

その単語の意味さえ理解していれば、話の流れを把握することは、それほど難しいことではありません。

皆さんが気にする文法も、正確である必要はありません。以前『ファイナンシャル・タイムズ』で特集が組まれていたのですが、現在はすでに英語圏以外の非ネイティブの数が、ネイティブスピーカーを上回っているそうです。

特集記事に書かれていた内容によると、非ネイティブスピーカーが使っている言い回しに対し、ネイティブスピーカーのイギリス人が「そんな言い方はしない」と言ったとのこと。非ネイティブスピーカーの反応はこうです。

「俺たちの間ではそういう言い方で通じているのだからいいんだ。本当は、俺たちが正しくて、お前が間違っているんじゃないか？」

アジアに出ると、日本以外の国では英語が話されます。しかも、彼らはあまり上手でなくとも、恥ずかしがりません。発音の悪い英語で、いい意味で図々しく話しています。

英語は、伝われば十分です。おそらく、仕事や生活で必要な内容のほとんどは、**中学2年生レベルの英語力で十分に伝わります。**そう考えれば、英語を学ぶことも、少しは気楽になるのではないでしょうか。

23

目の前だけでなく、全体像を見て、つなげよ

銀行借入や投資家からの出資によって資金を集める。集めた資金を投下してモノやサービスを生み出す。生み出したモノやサービスを販売・提供することによって利益を生み出す。確保した利益を再び投下する。

企業活動とは、こうした循環によって資金を最大化する営みです。企業活動の最大の源はお金であり、これは原点と言ってもいいでしょう。

企業にとって良い社員とは、**目の前にある商品を売るだけではなく、企業価値を高めてくれる人材です。**企業価値を高めるために貢献できる人材は、企業の全体像を把握していなければなりません。お金がどのように調達されて、どのように使われ、どのようにして新たなお金が生み出されるのか。企業の資金の流れを知っておく必要があるのです。

とはいえ、すでに企業に勤務しているあなたの先輩たちの中にも、全体像が見えて

いない人は数多く存在します。

自営の駄菓子屋さんを想定してください。経営者は、お金を支払って商品を仕入れ、無駄な在庫を生まないように管理し、人件費を抑え、なるべく固定費を使わないようにします。この経営者は全体像を捉えていると言えますが、一つ一つが経営に直結しているから当然と言えば当然です。

しかし、企業の所有と経営が分離され、企業活動が多岐にわたると、一社員の業務は細分化していきます。営業に専念する者、管理しかやらない専門職が増え、全体像は把握しにくくなってしまうのです。その状態に甘んじていては、企業価値を高める人材には成長できません。

手始めに、**自分の会社の財務諸表を読み込んでください。**

貸借対照表と損益計算書とキャッシュフローを丹念に見てください。自分の勤めている企業は、どのようにお金を調達し、それがどのように投資され、どのような形で返ってきているのか。まずはそこから理解してください。

一歩進んで、過去5年間の財務諸表を比較してください。会社は全体として成長しているのか、縮小しているのか。成長ないし縮小の速度はどの程度なのか。

セグメント別の指標を見れば、どの分野、どの事業が変動しているのかがわかります。事業別のバランスシートまで開示している会社であれば、それを見ればより詳細に把握することができます。

ただし、全体像だけを語っていても仕方がありません。自分の目の前の仕事と全体像を関連づけるのです。自分が手掛けている業務がどのような形で企業価値の向上につながっているのか。この点を理解する努力を怠ってはいけません。

簡単な例で考えましょう。

事業が初期の段階で、市場占有率を高めたいという戦略の場合、単価を下げてでも数を売ることが重要です。売上高を求められている場合は、単価の高い商品を売ることにも力を注ぐべきです。利益の最大化に力点が置かれているなら、販売コストを抑える、収益性の高い商品にシフトするという考え方に至ります。

これが経営者目線です。**全社的な目的に、自分の仕事が貢献できることを考えながら行動することです。**

この考え方は、お客さまとの交渉にも役立ちます。同じ提案をするにも、部長に話す場合と社長に話す場合で、言い方が変わるからです。

目前の数字に責任を追っている部長には、こういう言い方ができるでしょう。

「われわれと提携すれば、御社の商品は一層売れますよ」

経営者である社長に対しては、まったく異なる視点からアプローチします。

「われわれと提携すれば、新規事業を担う人材が育ちますよ」

経営者というものは、長期的視点に立った話題に関心を抱いています。目先の数字よりも、イノベーションが生まれないことに危惧を抱くものです。営業マンと部長と役員と社長では、問題意識が異なることを理解してください。

時間軸も同様です。営業マンは明日のことを考えます。部長は1カ月後のことを考えます。本部長は1年後のことを考えます。しかし、社長は5年後のことを考えているのです。そうした全体像を見れば、自ずと行動は変わってくるはずです。

最近、別の業界の方にこんなことを言われました。

「岩瀬さんは、いい意味でコンサルタントっぽいよね」

ある業界の市場規模、現在のシェア、シェアの推移、各社の収益率の差異、商品ごとのポートフォリオ、それぞれの収益性の推移、将来の展望、海外との比較、規制や技術革新の状況――。

コンサルタントとしてトレーニングする中で、常に**業界がどのように動いているかというマクロの視点でものを見る習慣**が僕には身についています。その方は、常に全体像を見る僕の資質を指して、そうおっしゃったのでしょう。

皆さんも、企業の全体像を見る習慣が身についたら、業界全体がどのような状況なのか、将来に向かってどのように変化しつつあるのか、業界はどうあるべきかについても考えてみてください。もっと言えば、業界を越えて日本がどうあるべきか、日本を越えて世界がどうあるべきかという視点も持ってほしいと思います。

こうした見方を養うには、**すでに全体像を見る視点を持った人と触れ合い、話し合うことが最も効果的です**。会社の役員や社長、社外の経営者などと積極的にコミュニケーションを取ることをおすすめするのは、そのためです。

僕も海外のリーダーや政治家の話を聞く機会が徐々に増えてきました。その経験をする中で感じるのは、彼らが広い視野を持っていることです。

グローバルな視点に立った金融の規制はどうあるべきか。先進国と発展途上国とのギャップを埋めるにはどのような方法が考えられるか。世界の環境問題をどのように捉えるべきか。

「若手はまだそこまで考える必要はないよ」

そんな姿勢ではいけません。全体像を見る目線を持たない人が成長する姿を、僕は見たことがありません。企業価値を高め、業界や日本の発展に貢献できる人になるためにも、マクロとミクロの視点を持ちましょう。

24 世界史ではなく、塩の歴史を勉強せよ

ビジネスの現場では、エクセルやパワーポイントを駆使して資料を作成する機会が数多くあります。

その機会に備えて、入社までに、あるいは入社して早い段階で使い方を覚えておきたいと考える人もいることでしょう。その姿勢は素晴らしいと思います。素晴らしいとは思いますが、入門書を買い求めて、漠然と勉強することでスキルを高めようとすることに、あまり意味はないと思います。

ビジネスの分野においては、**実際にビジネスの現場で役立つ学びを得ることが重要です。** 一般的な教養を獲得する勉強とは一線を画すと考えてください。皆さんが少し前までやってきた、学生時代の勉強とも質が違います。

世界史を例に、わかりやすく説明しましょう。

エクセルやパワーポイントを入門書で勉強するのは、世界史全体を勉強するような

ものです。世界史といっても膨大かつ多方面にわたるテーマがあり、何から手をつけていいのかさえ見当もつきません。学ぶべきポイントも散漫になるため、自分の身につくものも限られてくるでしょう。

この場合、世界史という広範なテーマではなく、たとえば「塩の歴史」の勉強をするという絞り方をしてみてはいかがでしょうか。

塩は、人間の生命を維持するために必要不可欠の物質です。太古の昔から、塩の確保は生命に関わる重要なことだったのです。それが発展して、塩が貨幣のような役割を果たした時代がありました。給料のことをサラリーと言いますが、その語源はラテン語の「salarium（塩の）」という言葉です。

塩の確保が命題になると、必然的に生産国と非生産国の格差が生まれます。そこに貿易が発生し、関税、金融などが関連してきます。**塩の歴史を深く掘り下げて学ぶことで、金融史、経済史、貿易史まで学べることになります。**

おわかりいただけたでしょうか。世界史を勉強するのではなく、焦点を絞った塩の歴史を狭く深く学ぶ中で情報を手繰り寄せ、役に立つインプットを得るのです。いま、まさに取り組もうとしている仕事の完成度を高めるために必要なことを勉強するのが、社会人にとっての勉強の仕方なのです。

もちろん、人間性を磨き、幅広い教養を身につける勉強は、長い人生を豊かに生きるために欠かせないことです。ただ、本書でお伝えしようとするテーマから少し離れてしまうので、やってくださいと言うにとどめておきます。

25

社会人の勉強は、アウトプットがゴール

たとえばマーケティングの本を読んだとします。

「ああ、勉強になったなあ」

そこで終わってしまっては、勉強した意味がありません。僕だったら、ライフネット生命にどう当てはめられるかという視点で読んでいきます。この部分はそのまま使える。この話はこう読み替えればいいのではないか。**ビジネスパーソンの勉強は、必ずアウトプットに結びつけるべきだ**と僕は思っています。

「自分たちならどう行動すべきか」

「自分たちの事業だったら、どう判断すべきか」

教養として漫然と読むのではなく、常に「So what?」に落とし込むように読まなければならないのです。

『すべては、消費者のために。—P&Gのマーケティングで学んだこと。』（トランス

ワールドジャパン）という本があります。P&Gの凄腕マーケッターだった和田浩子さんの著書です。和田さんは、オムツのパンパースや生理用ナプキンのウィスパー、掃除機のダイソンなどをヒットさせた方です。

ネット生保のマーケティングを勉強しようと考えた僕は、書店に行って「ネットマーケティング」と分類された棚を探しました。何冊かパラパラめくってみましたが、僕に合う本は見つかりません。続いて「金融マーケティング」の棚に移動しました。やはりありません。

よく考えると、どんな業種でもマーケティングの本質は変わりません。ネットである必要も、金融である必要もないのです。書店をのぞきながらそう思い直したとき、たまたま出会ったのが和田さんの本でした。

P&Gでは、生理用ナプキンのウィスパーのサンプルを、小学校5年生ぐらいの女の子たちに配るというのです。実際に使う前から体験版として配布することで、その年代からブランドロイヤリティを作り上げていくという話が書かれていました。

なるほどと思った僕は、大学生に向けたライフネット生命の宣伝活動を展開しました。

一般的に、大学生は生命保険を買いません。そのため、新社会人になった途端、各社ともいっせいに営業活動を展開するのが慣例です。しかし、3年後、4年後には生命保険に加入することになるのですから、大学生のうちにライフネット生命というブランドを刷り込んでおこうと考えたのです。

具体的には、学生食堂のトレーに「ライフネット生命お薦めの10冊」といった広告を載せました。いくつかの大学では、学生向けの講演会も開きました。

普通に考えれば、オムツや生理用ナプキンは、生命保険とはまったく関係がありません。けれども僕は、その本を読みながら「ライフネットだったらこうだ、ライフネットだったらこうだ」と考えながら、応用の形を書き込んでいきました。

ビジネス書を読む行為は、著者との対話というよりも、一方的にこちらが考えるための素材だと僕は思っています。**自分から乗り込んで宝探しをするように読んでいくと、毎回違った発見があり、それをアウトプットに生かすことができるのです。**

26

脳に負荷をかけよ

英語の文法、数学の公式。

そんな細かいことを覚えてどうするんだという日本史の年号。

似たような名前つけないでくれよと言いたくなる世界史のカタカナ名詞。

大学受験のころを振り返ると、辛い思いをしながら必死に暗記し、眠い目をこすりながら数学の問題を解いていたと思います。こうした勉強をすることで、脳に負荷がかかっていたと思うのです。

負荷をかける勉強をしてきたことで、脳が強くなったと僕は思います。負荷をかけることでしか筋肉が強くならないように、僕たちの脳も負荷をかけてはじめて活性化するのです。**社会人にとって、脳に負荷をかける勉強は「脳の筋トレ」になると考えて、ぜひ実践してください。**

その際、どうしても気をつけてほしいことがあります。

自転車で坂道を登るとき、軽いギアで心地よく漕ぎきっても、足、腕、腹筋、背筋などの筋肉はまったく強くなりません。ギアを重くして、どこか「心地悪い」状態で必死に漕いではじめて、筋肉は強くなるのです。

脳に対する負荷も、強ければ強いほど効果的です。

たとえば、難解な理論書と格闘してみるのも一つの方法でしょう。社会人になると、よほど意識をしない限り、頭が擦りきれるほど物事を考えるという場面がなくなっていくものです。

さらに言えば、読むだけでは脳に負荷はかかりません。読んで理解して、それを**自分のビジネスにどのように生かせるかを徹底的に考えてください。**

やっかいなのは、ビジネス書を読んだだけで勉強したと勘違いすることです。まったく脳に負荷はかかっていないと思って間違いないでしょう。

仮に1日1冊のハイペースで読みきったとしても、もはやテレビを見ることと同義の「遊び」だと思ってください。

それならば、ケインズの『雇用・利子および貨幣の一般理論』(岩波文庫、上下あわせて700ページくらいあります）をじっくり読んでみてはいかがでしょう。

受験生時代と同程度の負荷をかけるため、ぜひとも当時の苦しみを思い出してください。せっかく社会人になったのだから、暗黒の時代に逆戻りなんかしたくないなどと思わないでください。あせる必要はありません。じっくり継続して取り組んでいただきたいのです。

脳に負荷をかけて強い脳を作り、困難な問題に直面したときに自ら考え抜くことができれば、より早く成長することができるのです。

27

自分にとって都合のいい先生を探せ

セミナーやビジネス書を通じたスキルアップに対して幻想を抱いている方、多いのではないでしょうか。

そもそも、セミナーに行っただけで仕事ができるようにはならないでしょう。

セミナーに頻繁に通っている人の〝言い訳〟に、こんな言葉があります。

「金額と中身は比例するんだよ」

「参加者の人種が違うから、セミナーの金額は高ければ高いほどいい」

セミナーに行くのは自由です。僕もセミナーに行くなとは言いません。ただし、1回のセミナーに高いお金をかける必要はないと思います。高額なセミナーに通い詰める人が言う言葉も、その人が信じているだけで、何の裏づけもありません。

セミナービジネスを批判する場ではないのでこれ以上の言及は避けますが、基本的にはセミナーも〝ビジネス〟であることだけは認識しておいてください。

それよりも、人間は5万円をかけようが50万円をかけようが、よほど本人の努力が伴わない限り、大して変われないということを覚えておいてほしいのです。

人間の成長という観点から考えると、50万円は大した金額ではありません。断定はできませんが、500万円かけて5年間にわたって何か一つのことをやり続けた場合、何らかの意味あることが得られるかもしれません。でも、50万円かけて半年間やっても、5万円を払って1カ月間やっても、すぐに元の自分に戻ってしまうのが関の山です。

中途半端なお金をかけてセミナーに通っても、人間はそう簡単に変われるものではありません。変わるには、膨大な労力と時間がかかります。そうしたことを理解したうえで、お金を支払ってください。

セミナーに意味があるとすれば、モチベーションアップです。仕事ができるようになると考えず、ペースメーカーとしてやる気を出すために行くのであれば有効かもしれません。それにしては代金が高過ぎます。むしろ勉強会のようなところに参加するほうが効果的なのではないでしょうか。

たとえば、著作権法を勉強するといった専門性の高い勉強会であれば、僕も賛同できます。知識を吸収する勉強会は、自己啓発系のセミナーよりもペースメーカーとしての意味があると思っているからです。

ただし、これも取り組み方次第です。1回では何も変わらないというのは、セミナーと一緒です。継続するための環境づくりとして、勉強会を利用するのも一つの方法です。

単に聞いているだけ、インプットしているだけでは、せっかくの勉強会も意味のあるものにはなりません。繰り返しますが、常に自分の仕事との関連づけを行い、アウトプットにつながるように勉強会を利用しなければなりません。**ただ単に時間を共有しただけでは、それこそ時間の無駄です。**

英語の勉強は社会人にとって必須だと申し上げましたが、これも高額なスクールに通うことが上達の近道ということではありません。時代はデフレです。賢くやれば、お金をほとんど使わずに何でもできる時代です。

英会話サービス事業を展開するレアジョブという会社があります。スカイプでフィリピンとつなぎ、25分129円のコースからある格安オンライン英会話教室です。そういう安くて高品質なものを有効に使えば、それで十分だと思います。

レアジョブが面白いのは、ホームページを見ると顔写真入りで講師が紹介されているところです。僕が言いたいのはモチベーションは何でもいいということです。美人講師だから頑張る、イケメン講師だから頑張る。それでもいいと思うのです。やる気にさせてくれる存在であることに意味があるのです。

勉強を続けないと人は変われません。続けるためには、**自分にとって都合のいい先生、自分にとって心地よいペースメーカーを見つけることですべてが決まる**という気がしています。

裏返せば、自分にとって心地よい先生が最良の先生であり、最良のペースメーカーなのです。それが勉強を継続する原動力となり、継続することで、新たな何かを得ることができるのです。

28

ペースメーカーとして、資格試験を申し込む

仲間から受ける圧力という意味でのピア・プレッシャーについては、賛否ともに様々な考え方があります。それでも僕は、若手社会人の意識の高い人たちが集まった中から発生する刺激は、やはり大事なことだと思っています。

僕は大学在学中に司法試験を受けることになるのですが、本格的に頑張ろうと思ったきっかけは、まさにピア・プレッシャーを受けたことでした。

あるとき、同級生の優秀な友人たちに混じって、法律について議論する機会がありました。そのとき、僕だけ考えを口にすることができなかったのです。あせりました。勉強に身を入れるようになったのは、それからです。

ピア・プレッシャーを受けるためには、自分よりも優秀な人たちと組む必要があります。意識の低い人といると傷の舐め合いになって、かえってマイナスになってしまいます。自分よりもストイックな人、自分よりも本を読んでいる人、そういった人た

ちと組まないと、単なる自己満足で終わってしまいます。

そういった意味で、資格試験に挑むことは効果的だと思います。同じものを目指している人たちから、有形無形の刺激を受けるからです。

英語を勉強しようと思ったら、英検1級を目指す。漢字を勉強しようと思ったら、漢検1級を受ける。歴史なら歴史検定、美術なら美術検定があります。資格取得が流行っていますから、いまどきは何でも検定になっていると思います。

資格試験を受けようと決めたら、試験の日程が決まります。その日に向けて、必死に勉強するという行動が伴ってきます。つまり、期日を定めず漫然と勉強する愚から脱却できるのです。

もちろん、**資格を取得することが目的ではありません。**資格を持っているからといって、ほとんどは肩書きとして役に立つものではありません。**本当の目的は、刺激を受けること、ペースメーカーとしての効果なのです。**

29

新聞は2紙以上、紙で読め

「社会人たる者、毎朝新聞3紙に目を通すのは当然である」

これ、僕の言葉ではありません。ライフネット生命社長の出口が社会人になったばかりのころ、社員寮の先輩に言われた言葉だそうです。それから習慣化され、いまではごく普通の行為だと思っていると言います。

最近の若い人は、ネット上の新聞社サイトを見て、紙の新聞を読まない人が多くなったと聞いています。僕は、新聞は読んだほうがいいと思っています。

新聞を紙で読むメリットは、**自分が興味のない情報も目に入ってくることです。**インターネットだと、オンデマンドで自分が興味のある情報しか見ません。キーワードから検索するので、不要な情報はシャットアウトされます。実は、一見無駄と思える情報の中に、宝が潜んでいる場合さえあるのです（iPad版など新聞紙とほぼ同じレイアウトで配信されているものは別として）。

いま世の中で何が起こっているかを幅広く認識するうえでは、新聞は最適なメディアです。僕は現在、**日本経済新聞、朝日新聞、フィナンシャル・タイムズ**の3紙を購読しています。複数の新聞を読む理由は、新聞によって記事の構成もオピニオンもまったく違うからです。

社会人になると、どうしても日経新聞にシフトする人が多くなります。僕も一時期はそうでした。しかし、年配者の購読が多い朝日を見ると、医療や介護の記事を厚くするなど、ビジネスパーソン向けの日経とは色合いが違います。

広告欄を見ても、ビジネス書やビジネス系雑誌が幅を利かせる日経に対し、朝日は文芸系の書籍や雑誌の広告に紙面が割かれる傾向があります。**たった2種類の新聞を読むだけで、まったく違った日本が見えてくるのです。**

また、国内だけでなく海外の新聞を読むことで、世界を相対化して見るレンズを増やすことができます。そういった意味で、新聞は2紙以上読んでほしいのです。2紙なら月に1万円かかりません。セミナーに行くことを考えれば、安くて効率の良い自己投資だと思いませんか。

だからといって、隅から隅まですべてに目を通す必要はありません。見出しを読んで興味を引かれたいくつかの記事を、深く読み込むぐらいの気持ちで構いません。

「へえー」と言いながら読んでいるだけで、記憶の片隅には残るものです。

以前、iPhoneでウォール・ストリート・ジャーナルを購読していたのですが、ほとんど見る機会がないまま解約しました。購読していることを忘れてしまうのです。たまに「せっかくお金を払っているんだから読まなくちゃ」と、思い出したように見るだけに終わってしまいました。

新聞は、現物として手元に届きます。読まなければ、どんどん溜まっていきます。思い出したときに見るのではなく、**毎日継続して目を通すことに意味がある**のだろうと思います。時系列にニュースを追うことも、世の中の流れを知るには有効だからです。

まったく違った日本を見るため、世界を相対化するレンズを増やすために、テレビやラジオを利用するという方法もあるとは思います。

でも、僕はあまりおすすめしません。NHKのドキュメンタリーなど、いくつかの番組は見たほうがいいかもしれませんが、そんな時間があるのなら、まずは新聞や本を読んだほうがいいと思います。

column 2 コラム

70歳になっても勉強し続ける意味

２０１０年12月、ダボス会議（世界経済フォーラム）のヤング・グローバル・リーダーズの関連イベントに出席するために韓国を訪れた僕は、金滉植国務総理（日本の首相に相当）とお会いする機会を得ました。

ほかにも韓国の重鎮たちにお会いしたのですが、その中に財務大臣を歴任したイル・サコン氏という人物がいました。彼は２０１０年11月に韓国で開かれたG20を仕切った大物で、サッチャー元イギリス首相、レーガン元アメリカ大統領、ミッテラン元フランス大統領を知っているという老大家です。

その人物に、僕たちの仲間が質問しました。

「リーダーに共通する資質は何ですか」

「そういう人たちと伍して戦うためには何をすべきですか」

彼が答えた内容は、取り立てて目新しいことではありませんでした。社長の出口も同じことを口にしています。

まず一つは、リーダーたちは**超がつくほど健康**だということです。とにかく健康でなければどうしようもないというのです。ビジネスパーソンの資質として最も大切なのは、健康であること。よく食べてよく寝て、それなりに運動して、健康を維持しなさいと言われました。

二つ目は、**世界で起こる出来事に常に目を向けなさい**というアドバイスです。

その老人は70歳を超えていると思いますが、いまでも毎日数時間かけて、いろいろなものを読んでいると言います。韓国の新聞はもちろん、外国の新聞、「ビジネスウィーク」「エコノミスト」などの週刊誌、さまざまな月刊誌や季刊誌などです。

各国の政界、財界のリーダーと会談したときに、勉強不足で話が通じなかったとすると、次に面会する機会はなくなるそうです。70歳を超えた、こうした立場にいる人ですら、そこまで情報を詰め込まないといけないのです。

第一線を退いたいま、彼がどれほどの忙しさかは想像できません。しかし、それだけの地位にいる人であれば、相応のスケジュールが入ってくると思います。

「仕事が忙しいから、本や雑誌なんか読む暇はない」

「勉強する時間などない」

そんな言い訳を口にしそうなものですが、彼はそのための時間を割かなければならないと考え、実践しているのです。むしろ、優先度で言えば勉強が先。残った時間で何をするかを考えなさいという考え方です。貯蓄にたとえるならば、余ったお金を貯めるのではなく、貯蓄を先に確保して、残ったお金でやり繰りするという皆さんおなじみの財形貯蓄と同じ感覚だと思います。

最後に、彼は**「Always be a student」**とおっしゃったのです。

一時的なものではなく「常に学徒たれ」と強調していたのが印象的でした。70歳の人が学び続けないとダメだと言い、自分でも継続して実践している。皆さんすべてが世界のリーダーを目指しているわけではないにしても、努力してインプットするメンタリティは持つべきだと僕は思います。

大学時代に取り組んだ勉強は、社会人としての能力にそれほどの影響を及ぼすことはありません。答えは簡単です。大学は4年間しかないからです。

社会人として生きる時間は、人によっては40年近くにもなります。4年間でどれだけ勉強したかということ以上に、40年間でどれだけ勉強したかということが、その人の能力の向上に大きな影響を及ぼすのです。

ほんの一握りの優秀な人、ほんの一握りの優秀ではない人を除けば、大部分の人の能力にほとんど差はありません。やがて大きな差になって表出してくるのは、広い意味での**勉強をし続けているかどうか**ということなのです。

やっかいなのは、それに気づいている人が意外と少ないことです。気づいていたとしても、よほどの自覚を持って勉強する時間を確保しないと、社会人の一日はあっという間に過ぎてしまいます。悪いことに、勉強しなくてもある程度の仕事はこなせてしまいます。

勉強を重ねて、毎年1パーセントずつ成長した人と、何もしないで仕事に流されてしまった人の違いを想像してみてください。人間としての豊かさ、給料、仕事の幅、出世。すべて勉強するかどうかで決まってしまうのです。

30

仕事に関係ない人とランチせよ

入社してしばらくの間は、所属する部署の先輩や上司とランチに行くことが多くなると思います。会社のこと、部署のこと、ビジネスマナー、社会人としての心得などを教えてもらう絶好の機会になるでしょう。

やがて会社の雰囲気にも慣れ、緊張で張りつめていた心も体もほぐれてきます。1カ月もすると、同期入社の仲の良い友人や、同じ部署の年代が同じ人たちと昼食をとる機会が増えてきます。

昼休みぐらい息を抜きたい。その気持ちはよくわかりますがあえて言います。それでは、社会人として成長することは望めません。

ぜひいろいろな人とランチに行ってください。そして、いろいろな人から話を聞いてください。その経験の蓄積は、あなたの仕事の幅も広げるはずです。

社内であれば、**自分とはまったく関係のない部署の人を誘いましょう。**違う仕事をしている人の話を聞いて、見聞を広めてください。そして、自分とは違う年代の人を誘うのです。過去の経験談、積み重ねたキャリアから導き出された教訓などを聞いて、仕事に生かしてください。

社外の人にも積極的に声をかけてください。業種や会社が違えば、その人の経験は社内で得られるものとはまったく異なります。先輩や上司といった年代が違う人と一緒に食べるとはいえ、毎日同じグループで過ごすのは感心できません。

新人の自分の誘いにつき合ってくれるだろうか。そんな心配は無用です。若手にランチに誘われて、悪いイメージを持つ人はいないと思います。人は誰しも、頼りにされるのは嫌いではないはずです。

むしろ、気楽に誘えるのは若手の特権です。上司が部下をランチに誘うほうが、誘うほうも誘われたほうも、気を遣います。いまの時期だからこそ、積極的に誘えばいいのです。

特に、部長や役員、**可能であれば社長を誘ってみてください。**偉い人は若者の誘いを断らないものです。仮に都合が悪くて実現できなかった場合、次は向こうから誘ってくると思います。ある程度の規模の会社であれば、一対一は難しいかもしれません。そのときは、若手4、5人誘ってチャレンジしてみてください。

誘ってこなかったとしても諦めてはいけません。おそらく、上の人たちは新人とランチに行きたいと考えていると思います。僕も社内の部下や後輩から誘ってほしいと思っているからです。

「岩瀬さんは忙しそうだから」

そう思われているのか、最近はなかなか誘ってくれません。忙しかったとしても、僕は社員に誘われたら必ず行くようにしています。その日がだめなら、別の日を設定します。

社内で面白いと評判の人は、日程が詰まっているでしょう。むしろそんな忙しそうな人をつかまえて、3週間先でもいいからアポイントを入れるのです。

あなたが営業職だったら、時間に融通が利くこともあるでしょう。そんなときは他社の友人に会うのもいいと思います。夜になってお酒を飲みながらだらだらと話すより、時間が限られた昼間に会うほうが、凝縮された密度の濃い時間が過ごせると思います。仲の良い友人であれば、45分もあれば十分でしょう。

31

スーツは「フィット感」で選べ

僕は最近まで、服装については無頓着で来たため、お洒落に関しては、あまり偉そうなことは言えません。ただ、社会人13年目にして一つだけ気づいたことがあります。

スーツ選びで最も大切なことは「サイズがぴったり合っているか」です。

いつのことだったか覚えていませんが、ファッション系の仕事をしている人からこんなことを言われました。

「サイズの合っていないイタリア・ゼニア製の30万円もするスーツを着ている人より、セレクト・ショップで買った、体にぴったりフィットした2万円のスーツを着ている人のほうが格好いい」

これは、お金のない新社会人向けの方便ではありません。知り合いのスタイリストも同じようなことを言っていました。

新社会人の皆さんは、値段が高いものよりも、とにかく体のサイズに合うシャツやスーツを探すことを心掛けてほしいと思います。

最近はデフレの世の中なので、高額なイメージのあるオーダーメイドでも、比較的安く作ってくれるショップが増えていると聞きます。

既製品の寸法とまったく同じサイズの人など、めったにいません。僕も身長の割に手が長いため、身丈に合わせると袖が短くなり、袖に合わせるとダブダブになってしまいます。

スーツだけでなく、最近はシャツも測ってから作るようになりました。そうすると、左右の手の長さも違うことがわかったのです。

一般的に、洋服は1センチ寸法を変えるだけでまったく印象が変わります。恥ずかしながら、13年目にしてようやく**スーツ選びは値段ではなく寸法**だということに気づきました。

ただし、よく言われるように、安いものは消耗が早いのは事実です。高額なものを無理して買い求める必要はありませんが、少し良いものを買って長く使うほうが経済的だということは言えるでしょう。

そんな僕ですから、会社用のスーツについて簡単なアドバイスはできたとしても、オフの日にどんなものを着たらいいかという質問に答えることはできません。恋人やショップの店員さんに相談するか、皆さんの感性で選んでみてください。

32 「あえて言わせてください」で意見を言え

上司や先輩と異なる意見を言うときは、こんな言い方をしてみてはいかがでしょうか。

「私はまだ素人かもしれませんが、あえて素人目線で申し上げます」
「もしかしたら役に立つかもしれないので、聞いていただけますか」

会議では、必ず発言すべきだと言いました。発言してはじめて会議に参加したと言えるからです。とはいえ、誰でも最初は緊張します。遠慮もあります。こんな幼稚なことを言って叱られないだろうかと委縮することもあるでしょう。

でも、それを恐れて発言しないのでは、会議に出席している意味がありません。議論に参加するかどうかで楽しさや真剣みも変わってくるので、発言する義務があると思って積極的に意見を言うことを心掛けてください。

ただし、発言する際は周囲の意見をよく聞いて、冒頭のような言い方、またはこんな言い回しで簡潔に述べてみてはいかがでしょうか。

「皆さんの意見のこういう点はとても参考になり、私も賛成です。ただ一つだけ疑問に感じたことがありますので、ちょっと筋違いなことかもしれませんが、あえてこう言わせてください」

まず相手への敬意を払う。そのうえで意見を述べるのです。

若い人に限らず、相手の意見をしっかり聞いて、よく理解したうえで発言するのは当たり前のルールです。若者がいきなり上から目線で意見を言えば、生意気だと思われても仕方がありません。

実は、ほとんどの上司や先輩には、若い人の意見を聞いてあげたいという意識が必ずあるものです。少々雑で荒削りでも言わせてあげたいという親心に似た気持ちを持っています。

自分の意見を言うことができたとしても、その意見が正しく、周囲に認められるとは限りません。そうだとしても、あまり食い下がってはいけません。

正しい意見ならともかく、誤った考えを押し通そうとする人は鬱陶しがられるものです。物わかりが悪いというレッテルを貼られてもマイナスです。

若さは特権です。若いから許され、若いから可愛がられるのです。この特権は中堅になるともう使えません。いまのうちに特権を駆使してください。

誰も新人に完璧な答えなど求めていません。臆せずに意見を言ってみてください。**意見を言う若者は、議論に貢献しようとする仲間として重宝され、様々なチャンスが巡ってくる**はずです。

33 敬語は外国語のつもりで覚えよ

若い人が使う表現で、最近特に気になる言い方があります。

「自分は、営業の仕事をやらせていただいているんですけど……」

テレビに出演しているお笑いタレントやアイドルが、よくこうした言い方をしていると聞きます。この言い回しに「さ」を加えて「やらさせていただいている」と平気で口にする人気アイドルもいるようです。彼らから受けた影響も少なからずあるのでしょうが、この敬語の使い方は誤りです。

敬語は苦手ですか?

年長者と会話をする機会のないまま大人になる人も多いと聞きます。家庭でも正確な敬語を教わることがなかったのかもしれません。

にもかかわらず、社会人になるといきなり敬語を使う必要に迫られるため、変な敬語、妙な敬語を使うようになってしまったのでしょう。

社会人にとって、言葉遣いのよし悪しは死活問題です。言葉遣いによって、第一印象は決まってしまいます。ビジネスパーソンにとっての敬語は、会社の全体像を把握するのと同じぐらい重要です。最も基本的なビジネススキルだと考えて差し支えありません。

敬語を習得する近道は、外国語だと思って勉強することです。

知らない言語を学ぶのだと、割りきって覚えてしまいましょう。

ある一定のパターンがあるので、敬語について書かれた本で基本的なことは勉強できると思います。英語の勉強のところでお話しした通り、確実に身につくまで時間をかけることが大切です。敬語の習得に関しても、努力すればした分だけ確実にスキルアップするものです。

よくある誤りに、謙譲語と尊敬語の取り違えがあります。

「うちの和田部長がおっしゃっていたんですけど」

これなどは、本を読んで基本的な考え方さえ理解しておけば、すぐに直せる誤りです。そして、いわゆる「タメ語」も犯しやすい誤りです。

「そうだよね」

「そうっすよね」

会社の環境に慣れてくると、言葉までくだけてしまう人が少なくありません。さすがに「そうだよね」と口にする新人はいないでしょうが、「そうっすよね」などという「丁寧に聞こえるタメ語」が出現し始めます。

敬語攻略法として、周りの先輩に宣言することをおすすめします。

「敬語をマスターしたいので、間違った敬語を使っていたら、直していただけませんか」

電話応対に慣れていないころは、相手の会社名や会話の中身を把握することばかりに気を取られ、言葉遣いまで気が回らないもの。無意識のうちに変な敬語が口をついてしまうこともあるでしょう。それは、その都度指摘してもらって直すしか方法はありません。

お客さまと仲良くなったら、その方にお願いするのも一つの方法です。

「どうしても敬語を使いこなしたいのです。通常の会話の部分は会社の先輩に依頼していますが、お客さまへの正しい言葉遣いも勉強したいのです。失礼なことをお願いして申し訳ございませんが、間違った敬語を使っていましたら、ご指摘くださいませんか」

そう頼まれて悪い気がする人は、あまりいないと思います。

あせらなくて大丈夫です。最初から誤りのない敬語を使いこなせる新人はほとんどいません。僕も新人のころは、あまり得意ではありませんでした。

だからといってのんびり構えているのもいただけません。言葉遣いの乱れた人が信頼されるでしょうか。社内外から受ける人物評価の要素として、言葉遣いがかなり大きな部分を占めているのも事実なのです。

繰り返しますが、**勉強した分だけ効果は表れます**。最も投資効果が高い語学研修だと考えて取り組んでください。日本語が上手に使える人は、どんな人からの印象も良くなるはずです。

ちなみに、冒頭の「やらせていただいている」という言い方は、どこがどのように間違っているのでしょうか。ぜひ調べてみてください。

34

相手との距離感を誤るな

中途入社が増え、雇用形態が多様化している現代の組織では、立場と年齢が逆転するケースが増えています。そうした状況の中、言葉遣いをどうすればいいのかわからないという話をよく耳にします。

僕は、比較的年功序列の考え方で自分の行動を決定しています。**年齢が自分より上の人には、無条件で敬意を払うようにしています。**たまたま会社の立場が上だからといって、自分より年上の人に偉そうな口をきいている人間を見ると、正直気分は良くありません。

ライフネット生命で僕は立場が上のほうにいますが、常に実践しているルールがあります。**学年が一つでも上の人には、必ず敬語を使います。**敬称もさんづけです。学年が同じ人の場合は、敬語を使うか使わないかはその時々で変わりますが、決して名前を呼び捨てにすることはありません。

その代わり、僕が生まれたのは76年3月なのですが、同級生には丁寧語を使う代わりに、たった1カ月しか違わない76年4月生まれの人は年下扱いをしています(笑)。

その一方で、**社外の人には年下でも敬意を払います**。

ソーシャル・ネットワーキング・サービスのグリーを率いる田中良和社長と懇意にしているのですが、学年でいうと彼は僕の2年下です。親しくしているのですが、僕は彼を決して「田中くん」とは呼びません。優れた実績を上げている経営者として敬意を持って、会話でも敬語を使うことを心掛けています。

彼も僕を「岩瀬さん」と呼んでくれています。あそこまで大成功を収めると、友人になったら「タメ語」になる人が多い中、敬語を使う姿勢をいまだに崩していません。

僕が苦手なのは、初対面やそれほどよく知りもしない段階で、年齢だけを基準にして無条件に偉そうにする人です。社会の中では僕などまだまだ若い部類ですから、年上の方とのおつき合いのほうが多い。だからと言って初対面で「いや、岩瀬クンはさあ〜」と言われるのは、正直あまり心地よくありません。自分がそうされたいということもありますが、知らない人にはやはり丁寧に接すべきだと思います。

会話以外で相手との距離感に気をつけるべき場面は、メールでの敬称です。若い人にありがちなのは、社外の年齢や立場が上の人と仲良くなったり、可愛がってもらうと、相手と接近したと勘違いしてしまうことです。

学生向けの講演会に呼ばれ、講演のあとの飲み会で仲良くなった学生から、こんなお礼のメールが届きました。

「岩瀬さん、昨日はありがとうございました。また飲みに連れていってください！」

そのメールの返事に、僕はこう書きました。

「○○様、昨日はお疲れ様でした」

よそよそしいと思いますか？　社会人の礼儀として、仕事上のつき合いの関係では、一定の距離感を持って接することが望ましいとされています。もちろん、相手に悪気がないことはわかっています。しかし、若い人は勝手に仲良くなったと勘違いし、つい近寄り過ぎる傾向があるようです。僕が「○○様」とメールを返したことで、学生はその距離感に気づいたと思います。

相手との距離感を誤らないように気をつけてください。若い人にとっては苦手なところかもしれないので、**仲良くなっても距離感は少し遠めにしておいたほうが無難かもしれません。**

35 目上の人を尊敬せよ

「うちの上司ってさあ、ダメなんだよね」

同期との会話の中で出てきそうなセリフです。

相手を見下していると、無意識のうちに行動に表れるものです。相手にもそれは伝わり、あなたを大切にしようとはしないでしょう。上司を嫌ったり、馬鹿にするメリットは、何もないのです。

確かに、人には欠点があります。その上司にも、至らないところがあるのは事実でしょう。しかし、人は誰しも、良いところと学ぶべきところを必ず持っているものです。人の悪いところを見るのではなく、**良いところを発見して、その部分を尊敬してください**。

人によって、仕事に対する取り組み方はそれぞれです。誰からも優秀だと認められる人のやり方だけが正しいわけではありません。年齢を重ねていれば、それなりに経験を積んでいるので、必ず良いところがあるものです。

心の底からその経験を尊敬し、頼りにすれば、必ず何らかの得るものがあるものです。そしてその上司も、自分のことを尊敬してくれていると感じ取ったら、あなたのことを認めてくれると思います。

「Managing Your Boss（自分の上司を上手にマネージせよ）」

ハーバード・ビジネス・スクールの授業で出てきた言葉です。良い上司は良い部下が作る。よほど頭の固い人物でない限り、こちらの接し方次第で相手も変わると思います。

僕は年上の人に可愛がってもらえることが多いです。それは「甘え上手」という一面があることが理由の一つではあります。

「この人は自分よりも経験が多いから、多くのことを教わることができる」

こうした気持ちを持って接していれば、相手に伝わるものなのです。

むろん、これをテクニックと捉えてもらっては困ります。

他人に対して敬意を払うことは、人としての基本。ビジネススキルでもテクニックでもありません。

「この人の良いところはどこなんだろう」

「この人が持っていて、自分にないものは何なんだろう」

真摯な姿勢で見つめれば、必ず見つかるものです。そして、その点を学ぶことができれば、自分の成長に必ずやプラスの影響をもたらしてくれるはずです。

36

感動は、ためらわずに伝える

子どものころから、美しい女性は「きれいですね」と褒められても嬉しくないものだと思っていました。言われ慣れていると思ったからです。

中学生になっても、その考え方は変わりませんでした。だから、クラスのマドンナに「可愛いね」などと言ったことは一度もありません。

大人になってから、その女性に言われたことがあります。

「岩瀬クンは、一度も可愛いって言ってくれなかったよね。好きだったのに……」

言っておけば良かった。ものすごく後悔しました。いまでは、どんな美人でも「きれいですね」と言われれば嬉しいものだと思うようになりました。たとえ鈴木京香であろうと石原さとみであろうと、褒められて喜ばない人はいないのです（たぶん）。

ビジネスの現場でも、それは変わりません。**人間は、いくつになっても認められたいものなのです。**上司を褒めるなんておこがましいと思わないでください。僕も社員から送られてくるメールの返信に「こういう点が、ためになりました」などと書かれていれば、いまでも嬉しいと感じています。そして、それが新しい人間関係の構築につながることもあります。もちろん、ご機嫌取りをするのではありません。そうではなく、**感動を覚えることがあったのなら、ためらわずにそれを伝えるべきだと**言いたいのです。それがお互いのためになるから。

少し前のことですが、山内恒人さんという保険数理の大家が書かれた生命保険数学に関する本を読みました。面白く、かつ新しい発見もあったので、ライバル会社の人間であることを気にかけつつも、思わずメールしてしまったのです。

「すごく良い本でした。僕にはこういうところが勉強になりました。こういう本はいままでなかったので、ありがとうございます」

このメールから、山内さんとの交友が始まります。2010年に慶應大学で生命保険概論という寄付講座が開かれたのですが、山内さんが講座の設計から携わっていたため、競合会社である僕を呼んでくれたのです。しかも、僕の本を指定図書にまでしてくれました。

大学の講義とはいえ、ライバル会社の人間を呼ぶとなると、いろいろな方面からの反発は予想されます。授業が終わったあとの会食の席で、山内さんはこうおっしゃいました。

「やっぱりいろいろ悩みました。それでも学生が岩瀬さんの話を聴きたいだろうからお呼びしたのです」

人の上に立つ立場であれば誰しも、どのようにして若い人たちのためになってあげられるかを、必死に考えています。それが仕事だから。とすれば、相手が先輩や上司であっても、若者の視点で面白いと思ったことや、ためになった話は、できるだけ具体的に伝えてあげてください。

それは上に立つ人たちの努力に対する、ちょっとした感謝のメッセージになります。今後より良い仕事をしていくうえでも、とても大切な言葉になるでしょう。

「課長から教えていただいた、こういうところが勉強になりました」
「アドバイスくださり、ありがとうございました」

上司に対する褒め言葉は、こんな言葉から始めるといいでしょう。そして、具体的に何が良かったのかを書くのです。

「なかなかいいですね」

こんな漠然とした、しかも横柄な言葉ではなく、**勉強になった部分、感動した部分、初めて知ったことを具体的に書いてください。**

上司に面と向かって言葉で褒めるのは、言いづらいと思います。言い方によっては、見下されていると捉えられかねません。褒めるときは、できるだけ文章で書くことが望ましいと思います。

従業員1万人の会社の社長が、全社員に宛ててメールを出したとして、それに対する感想を新入社員が社長室に送ったら、社長は必ず目を通すと思います。その内容が自分の意図に合致するものであれば、なおさら嬉しいはずです。

勘違いしないでください。ゴマをすれと言っているわけではありません。ただ、素直に感動したことは伝えてもいいと言いたいのです。

たとえ上司とはいえ、良いところを見出して、自分にとって学びとなったことを伝えてください。それはリスペクトの気持ちを伝えることです。やがてそれが良い人間関係になって、意外なところでチャンスにつながることもあるのです。

37

上司にも心を込めてフィードバックせよ

　あるプロジェクトが終わったあとに、上司が部下に対して、仕事ぶりや良かった点、改善点などをフィードバックをするのは当然のことです。

　僕の最初の職場では、それが終わると、逆に部下が上司の通信簿をつけるということをやっていました。部下が上司を評価する「アップワード・フィードバック」に真摯に耳を傾けるマネージャーこそが優秀で、それができない者はマネージャー失格だ。外資系企業にはそういった風土があったのです。

　これを日本的カルチャーの企業でやろうとしても、これまではなかなか難しい側面がありました。器の小さいマネージャーにかかると、聞く耳すら持ってもらえません。

　お客さまのところに上司と同行して、上司とお客さまの会話を横に座って客観的に聞く機会がいずれあると思います。

「いきなりその話をしないほうがいいのに……」

「もっとこんなふうに説明したほうがわかりやすいのに……」

上司に対して、失礼ながらそんなふうに感じることもあると思います。とはいえ、なかなかそんなことを直接言う勇気は持てないかもしれません。

会社での年次が上がるにつれて、新人のころのように面と向かって指導してくれる人は少なくなってきます。**上司にフィードバックを送るという行為は、上司にとって本来はとてもいいこと**だと思うのです。

「あんな言い方をしちゃあダメっすよ」

それこそ、こんな言い方をしてしまっては素直に聞いてもらえません。

「間違っているかもしれませんが、気づいたこと言ってもよろしいですか。お客さまに商品のお話をされたあと、先方がちょっと困った顔をされたように見えました。おそらく、話の内容を十分に理解されていなかったのではないでしょうか。もしかしたら、あの部分はもう少し詳しく説明したほうが良かったのかもしれないと思いました」

「いきなり企画の話をされていましたけど、横で見ていましたら、お客さまがちょっとびっくりしておられたようです。最初に、こういう話をしておいたほうがいいかもしれないですね……」

言い回しにも細心の注意を払って、穏やかに伝えるべきでしょう。

事実を伝えることは、酷なように見えて、実は相手のためになるのです。フィードバックをする自分のほうが優れているわけではないので、無理をしてまで上司に伝える必要はないかもしれません。残念ながら受け容れるだけの器がない人には、伝わらないのも事実です。

しかし、上司が間違ったことを言って、そのことに本人が気づいていない場合、**うやむやにすることなく指摘する人のほうが信頼される**と僕は思います。上司だからと迎合する人よりも、はっきりと反対してくれる人のほうが感謝されると思います。僕だったら、こういう若手は大切にしたいと思います。

若くしてそういう指摘ができる人は、本当に立派な人からは正当に評価されるものです。生意気なようでも、正しいことを言える若者は、むしろしっかりしているという印象を持たれるはずです。

上司へのフィードバックは、確かに伝え方に配慮が必要なところはあります。しかしながら、**本当に大事な上司や先輩には言ってあげてください**。一緒に仕事をする上司の成熟を心から願えばこそ、気づいたことを言うのです。あなたの心が伝われば、上司や先輩も感謝してくれるはずです。

38

ミスをしたら、再発防止の仕組みを考えよ

入社して数カ月の間は、上司や先輩から叱責されることが必ずあるでしょう。あなたがどんなに優秀でも、最初からすべての仕事を完璧にこなすことは、現実的には難しいからです。むしろ避けて通れないのなら、意識が変わるチャンスだと前向きに捉えてください。

ハーバード・ビジネス・スクールでの授業中、あるいは授業のないときに仲間と議論をしているとき、外国人はよくこういう言い方をしていました。

「I disagree（きみの意見には反対だ）」

口角泡を飛ばしながら、傍目には好戦的な口調で、相手の意見を完膚なきまで否定しようと躍起になります。しかし、ひとたび授業や議論が終われば、何事もなかったかのように仲の良い友人に戻るのです。

叱られるということは、あなたの人間性や能力を否定しているわけではなく、仕事

上のある行動が間違っているということを指摘されただけのことです。あなたの仕事をより良く改善するためのフィードバックだと捉えればいいのです。

ゴルフのスイングフォームを改善しているとき、コーチから指摘されたポイントを意識していないと、叱責されることがあるかもしれません。

「そんなスイングじゃダメ！」

「何でさっき言ったポイントを忘れてしまうんだよ！」

コーチの口調はおそらく厳しいでしょうが、選手の人格を否定しているわけではありません。上司からの叱責もまったく同じです。人によっては厳しい言い方をする人もいるでしょうが、上司はあなたの人格を攻撃したわけでも、能力を否定したわけでもないのです。

誤りを正してもらったのですから、その叱責を真摯に受け止め、反省し、感謝すべきです。へらへら笑っているのもどうかと思いますが、だからといっていたずらに落ち込む必要もありません。そんなことよりも重要なのは、同じ間違いを二度と繰り返さないことです。

初めて犯した誤りであれば、それほど叱られることはないと思います。問題は「この間も同じこと言ったよね」と言われてしまうケースです。どんなに温厚な上司でも、同じ間違いを二度繰り返すと、さすがに本気の叱責が飛んでくるでしょう。

「これから気をつけます」

そう言うのは簡単ですが、これだけだと必ず同じミスを繰り返してしまう可能性があります。

上司から何を指摘され、自分はなぜそうしてしまったのか。叱責されたことを注意深く受け止め、再発防止のために何をすればいいのかを熟考するのです。

僕が考える再発防止策は、仕事のやり方を変えることです。ミスが起こらない仕組みを作り出すことだと思います。

上司に頼まれた仕事に、ミスがあったとします。次回から気をつけるようにしても間違えてしまう恐れがあれば、ファーストフードのトイレなどでよく見かけるチェックシートを作って、一つ一つ確認するのも方法です。

書類に押す実印が必要だと言われたのに、自宅から持ってくるのを忘れて迷惑をかけてしまいました。翌日は何としても忘れてはいけないのですが、忘れっぽい人間だという自覚があります。

その場合、近くの同僚に「悪いんだけど……当日の朝メールしてもらえますか」と依頼するのです。忘れないようにしようと思っても忘れてしまうので、第三者からメールを入れてもらうという仕組みを作ったのです。僕の場合、最初は家族にお願いしていました。付箋に「ハンコ！」と書いて、玄関のドアなどに貼っておくのも手かもしれません。

企業としての再発防止策でも同じことが言えます。組織で仕事をしている中でミスが起こるのは、個人に責任があるのではなく、**仕組みに問題がある**のです。

人間がやることですから、ケアレスミスは気合いだけでは防げません。叱られたときは、仕事をどのように仕組み化し、同じミスを繰り返さない方法を考え出すことが重要になってくると思います。

39

叱られたら意味を見出せ

叱られても落ち込むな。

そう言われても、なかなかうまくできるものではありません。たとえば自分の失敗が原因で、会社として得るはずの利益を逃してしまえば責任を感じるのも自然なことです。一方で、叱られる原因は、必ずしも納得できるものとは限りません。場合によっては、理不尽とも言える叱責を受けないとも限りません。

そんなとき、心の状態をどのように持っていくか。対処法は一つしかありません。**前向きに捉えるのです。**

叱られたことは、すべて糧になる。自分が強くなるために必要なことだ。もっと大きな失敗をしなくて良かった。考え方はいろいろです。

僕は、**すべてのことに意味がある**と考えるようにしています。

自分にとって悪い出来事が起こった場合、あらかじめこうなると決まっていたと考え、**「この出来事は自分に何を教えてくれようとしているのか」**をしっかり考えるのです。もっと大きな失敗をしないようにという警告ではないか。そういった前向きの発想が生まれてきます。

以前、誕生日に財布を落としたことがあります。よりによって誕生日に落とさなくても、と最悪の気分で社長の出口に話すと、予想外の答えが返ってきました。

「お、最高じゃん」

聞いた瞬間は、さすがにひどいなと思いました。でも、そのあとに続いた出口の言葉が秀逸でした。

「今年は、もうこれ以上悪くなることはないよ。ボトムからのスタートだから、あとは良くなる一方だ」

ものは考えようです。落ち込んでいても、財布を落とした事実が消えるわけではありません。明るく捉えれば、前向きになれるのです。

落とした財布は折りたたみ式です。しかもぼろぼろでした。買い替えろというサインだったのかもしれません。

ある本に「お金持ちは長財布を持っている」と書かれていたことを思い出しました。

いいチャンスだと思い、長財布を買い求めました。

その本によれば、長財布にするとお金を大事に扱うというのです。お金に敬意を払っていれば、必ずお金が集まってくる。長財布に替えた僕も、お金に対する敬い方が変わったような気がします。

財布に入っていたクレジットカードが再発行されるまで時間がかかるので、その間の買い物は現金払いです。カード払いをやめて現金で払ってみると、毎日こんなにお金を使っていたのかという実感が得られました。財布を落としたおかげで、お金の使い方を考え直すきっかけにもなったのです。

結局、現金だけは抜き取られていましたが、カード類は不正使用されずに戻ってきました。これも、考えようによってはラッキーです。最悪の事態は避けられたからです。

仕事上で失敗し、叱られたときも同じだと思います。

大ごとにならなくて良かった。この失敗のおかげで、同じ失敗を二度としなくて済む。そんなふうに考えてはいかがでしょうか。起こったことすべてに意味を見出す習慣をつけると、辛いことも辛くなくなり、無駄に一喜一憂することもなくなるのです。

上司に叱られて傷ついたり悲しんだりしているとき、心の中は感情に支配されてい

ます。論理的思考ができず、善後策を考えられません。注意を受けたときには、前向きに意味を見出し、冷静に改善策を打ち出すことで、社会人として成長していけるのではないでしょうか。

40 幹事とは、特権を得ること

幹事。

この言葉に、あなたはどのようなイメージを持っていますか。

面倒くさいこと。段取り上手ではないから自分にはできない。人望がないから私には無理。こんな否定的な印象を抱いている人もいるのではないでしょうか。

幹事は決して難しいことではありません。特別な能力など、まったく必要ないのです。要求されるとすれば、心配りができるかどうかだけです。あとは慣れです。

段取りさえできれば、自分のスケジュールを最優先することができます。場所の選定も、声をかけるメンバーも、幹事の裁量に一任されるものです。会いたい人物、普段は会えない人物にも声をかけられます。考えようによっては、**幹事を引き受けたことで特権を手にできるのです。**

心配はいりません、最初はぎこちなくても、配慮が足りなかったとしても、場数を踏めば誰でもできるようになります。恐れないで、面倒くさがらないで、ぜひ積極的に引き受けてください。

同期をまとめているのはいつも○○さんだな、宴会になるといつも○○さんが仕切っているな。そういう存在は、頼りがいがあるという印象を持たれます。幹事を引き受けることで生じる副産物として、**周囲からの信頼を勝ち得ること、上司から信用される存在になること、段取り力が上がること**が挙げられます。

若手はみな荒削りです。当面のところ、仕事で差はつきません。信用できる人物か、仕事を任せられる人物か、一緒に仕事をしたい人物か。結局のところ、差がつくポイントはそこです。

そのときに大切なのは、自分のブランディングです。身だしなみはきちんとしているか。挨拶はしっかりできるか。言葉遣いは丁寧か。伝えたことをしっかり聞いてくれるか。他人に対して物事をはっきり言えるか。嘘をつかずに言ったことを必ずやってくれるか。それによって社内の評判が決まります。

注意して見てください。ブランディングに必要なこれらの要素は、幹事を遂行するうえで必ず経験するものです。若手のブランディングに有利になり、信頼まで得ることができるならば、幹事を引き受けない手はないでしょう。

マイナスイメージはなかなか覆すことができない反面、幹事を引き受けることで形成されたプラスイメージも、よほどのことがない限り崩れません。上司から得た信頼性も、少々のことでは失われません。

出世する人は、数多くのチャンスをもらっています。ところが、チャンスというのは楽なことばかりではありません。苦しいこと、辛いこと、面倒なことも当然含まれてきます。**人が嫌がるようなことを積極的に引き受け、そのチャンスを死んでもやりきる人だけに、チャンスは再び訪れます。**

数多くのチャンスをもらうには、面倒なことに積極的に首を突っ込んでいくべきだと思います。幹事はその代表例かもしれません。幹事をやることは、誰のためでもなく自分のためなのです。

「次の飲み会の幹事は私がやります！」と申し出てくれた人がいます。しかしその人はやると言ったにもかかわらず、結局幹事を全うしませんでした。さて、あなただったらどう思いますか？

「威勢のいいことを言って、結局やらない人なんだな」

こういう人には大事な仕事を任せたくないですよね。

仕事のスキルを自分の力でブラッシュアップし続けるのは当然のことです。それに加えて、チャンスとフィードバックを数多くもらえるための努力を重ね、成長を加速させてください。**必要なのは、信頼を得ることです。**

41 宴会芸は死ぬ気でやれ

キャリアアップのためには、自分を磨くことが大切です。人は、一緒に仕事をしていて楽しい人と、また仕事をしたいと思うからです。仕事も遊びも趣味も徹底してやる人は面白い。それは、宴会芸も同じです。

忘年会や新年会、そのほかの会社のイベントなどで、宴会芸を披露する機会があると思います。新入社員や中途社員など新人と呼ばれる人たちは、必ずやるものだと思って間違いないでしょう。その機会がやってきたら、恥ずかしがることなく、準備に時間をかけて、必死で取り組んでください。

僕がこの姿勢を学んだのは、ハーバード・ビジネス・スクールで同期だった、商社に勤務するノリという仲間の言動からです。

「宴会芸は仕事と一緒だ。絶対に手を抜くな」

留学中の一時期、留学生全員で来日する「ジャパン・トリップ」というイベントが催されました。昼間は日本企業の経営者のもとを訪れ、インタビューやディスカッションをして勉強し、夜は交流を深める飲み会で大騒ぎする。

とりわけ、箱根の温泉宿に宿泊したときの宴会は、日本滞在中の最大のイベントになりました。ホスト国の日本人が、外国人の留学生仲間の前で様々な「芸」を披露するのです。

中心になったのは、やはりノリです。

ある休日の朝、彼は日本人全員に集合をかけます。何事かと思って行ってみると、宴会芸の練習をするというのです。

宴会当日を迎えても、僕たちはギリギリまでリハーサルを重ねました。出し物の一つに替え歌があったのですが、本番で歌詞を間違えないように、奇妙な歌詞を紙に書いて床に置いておく念の入れようです。

そのおかげで、僕たちの「芸」は大爆笑を誘い、箱根の夜は大盛況のうちに幕を閉じたのです。

ライフネット生命のトップ・出口も負けていません。

カラオケに行くと、光ＧＥＮＪＩのヒット曲「ガラスの十代」を、歌詞を替えて髪を振り乱しながら歌うのです。

「♪がぁーらすのぉーごじゅうーだぁぃぃぃ」

たかが宴会芸と思わないでください。仕事ができる人は、徹底してやります。**宴会芸を死ぬ気でやる人は、周囲からの評価も高くなると思ってください。**

ここで「いやぁ、僕は遠慮しておきます」などと恥ずかしがらないでください。宴会芸を積極的にやらない人は、むしろ社会人としてのポイントがダウンすると思って間違いありません。単なる芸の話ではないのです。チームワークやここ一番での勝負強さを試されていると思ってください。

ライフネット生命に、普段はおとなしい社員がいます。僕も会話を交わしたことはほとんどなく、蚊の鳴くようなか細い声で話す社員です。

その彼が、一昨年の忘年会で大いに弾けました。

普段シャイな彼が、大きな声で皆の前で力いっぱい自分の芸を披露したのです。座は異様な盛り上がりを見せました。僕は、会を盛り上げるために自分の殻を打ち破った彼の姿に、ある種の感動すら覚えました。

そういう姿は、絶対に忘れられません。上司や先輩の記憶に残るだけでなく、何事にも真剣に取り組む姿勢が信頼感にもつながると思います。やるべきときに死ぬ気になってやる人は、必ず評価され、次のチャンスが巡ってくるものです。

上司や先輩は、あなたの仕事ぶりだけを見ているのではありません。イザというときに腹をくくれるか。一度やると決めたことをやり抜く人なのか。何事にも斜に構えず本気で向き合う人なのか。大げさに聞こえるかもしれませんが、**宴会芸に取り組む姿勢を通して、あなたのトータルな人格を見ているのです。**

42

休息を取ることも「仕事」だ

朝の時間の使い方が注目されています。

早く起きて、誰にも邪魔されない時間にじっくりと自分の課題に取り組む。そうすれば、時間を効率良く使うことができ、成長が早まると言います。

誰もが有効な手段だと思っているはずです。にもかかわらず、チャレンジしては断念する大人があとを絶たないのはなぜでしょうか。

理由は簡単です。就寝時間が遅くなるから起きられないのです。睡眠時間を削って早起きをしようとしても、いずれ破綻するのは明らかです。

社会人には、早く寝られない理由があるものです。毎日早寝をするのが現実的でないと言うのであれば、せめて週に1日でもいいから夜9時か10時に寝てみてください。想像以上にすっきりとした状態で目が覚めると思います。

アスリートは、**試合で最高のパフォーマンスを発揮するため**に練習するのが仕事です。同様に、**体調を整えるのも大切な仕事の一つです。**十分な睡眠をとり、トレーナーやコンディショニング・コーチの指示のもと、入念なストレッチやマッサージを行うことによって、疲労した肉体のコンディショニングを行います。

ビジネスパーソンの僕たちも、持てる力を100パーセント発揮して、最高のパフォーマンスを出し続けなければなりません。そのためには、アスリートと同じように体調管理、コンディショニングにも気を配る必要があるのです。

100の力を持っているにもかかわらず、コンディショニングに失敗して40の力しか出せない人は、60の力しか持たないにもかかわらず、60すべてを出しきれる人に勝つことはできません。会社にいる間だけが仕事なのではなく、コンディショニングも仕事のうちだと考えるべきでしょう。

では、社会人にとってのコンディショニングとは何でしょうか。**最も考えるべきは睡眠だと思います。**

何はともあれ、たくさん寝たほうがいいに決まっています。可能であれば仕事の量を減らし、二次会を早く切り上げるなどして、最低でも6時間の睡眠を確保する努力をしてください。

確保できない人も諦めてはいけません。時間が取れないのであれば、短い睡眠時間でいかに快適な睡眠を得られるかということに心血を注ぐのです。

僕は毎朝シャワーを浴びてから出勤するので、これまでは夜の入浴をしないまま寝ていました。そのせいか、思った以上に体は冷えたまま、短い睡眠では疲労が抜けきらない状態が続いていました。

そこで、夜も風呂に入るように生活を変えてみました。本来は湯船につかるのがベストですが、時間がないのでシャワーだけでもと考えたのです。すると、寝つきも良くなり、以前より心地よい目覚めが得られるようになりました。

より良い睡眠を得るために、自分の体型に合った枕やベッドマットにこだわるのも一つの方法だと思います。残念なことに、そうしたことにまで気を配っている人は、少数派に過ぎないのではないでしょうか。

自分の体調に敏感になってください。自分を客観視する努力をしてください。

「何だかイライラするなあ」

「頭の回転が鈍いなあ」

何となく疲れていると感じたら、休むべきです。無理をして仕事をするのではなく、体調を整え、頭をすっきりさせて心も体もバランスのいい状態にするのが先決です。

自分の体調が自分でわからなければ、人に聞いてみてください。

「ちょっと顔色悪いんじゃない？」

「疲れているんじゃない？」

家族や恋人、友人にそう言われたら、素直に耳を傾けるべきです。

反省の意味も込めて言うのですが、僕は周囲からの忠告に対して、あまり聞く耳を持ちませんでした。全力でエンジンをふかしながら突っ走っていたら、あちこちの部品にガタがきて、故障寸前というような状態でした。

問題は、若いときは少々の無理をしても突っ走れてしまうことです。徹夜や終電で帰る状態が続いても、体力に任せて何とか乗りきれてしまいます。そこに過信することなく、いざ本番！というときに自身のパフォーマンスを最大限に発揮できるよう、毎日を意識的に過ごしてください。

仕事をしていれば、無理をしなければならない局面が必ず訪れます。肝心なときに心も体も弱くなっていては、とても対応することはできません。**勝負どころに備えて、日ごろからコンディショニングに気を配ることをおすすめします。**

43 ビジネスマンはアスリート

ビジネスパーソンが気を配るべきコンディショニングのうち、睡眠と同じように重要なものがあるのですが、それは何だと思いますか。

まずは**食事**です。

朝ごはんは、毎日必ず食べてください。

以前から、若者が朝食をとらないと言われています。その習慣が身に染みている若いビジネスパーソンにも、朝食をとらない人が増えているといいます。

朝ごはんを食べないことによる弊害は、様々に指摘されています。食べる時間がないのなら、15分早く寝て、15分早起きしてでも食べてください。

本当なら、夕食を軽めにしたほうがいいというアドバイスもしたいのですが、まずは**朝ごはんを食べることだけでも徹底してください**。

それから**運動**です。

昨今は、自転車に続いてランニングがブームです。雑誌にも「できる経営者は走っている」などという記事が躍っています。

僕は「ランニング＝体力をつけるため」という認識があって、あまり気乗りがしませんでした。そのせいか、疲れやすく、よく風邪を引いていました。

最近になって、コンディショニングをしっかりやっている友人から、こんなアドバイスをもらいました。

「体力をつけるためとは考えずに、**頭をすっきりさせるためだと思って運動をやったらいいんだよ。**お前にとっては、それも仕事のうちじゃないの？」

なるほどと思いました。頭をすっきりさせるためなら、スピードを気にする必要はありません。ストイックに、辛くなるまで長い距離を走らなくていいのです。

毎日の日課にして、自分を追い詰める必要もありません。少し時間が空いたときに、短い距離でいいから軽く走って頭をすっきりさせれば、いいアイデアが浮かぶこともあるかもしれません。

結局のところ、日々の疲れを溜めることが良くないのです。**日々リセットし、毎朝最高のコンディションで職場に向かうようにしてください。**

マッサージに行って、お風呂に入って、ストレッチをして、体を温めるショウガ入りのお茶を飲んで、心地よい枕とベッドマットで暖かくして寝る。早起きをして軽いジョギングのあと熱いシャワーを浴び、しっかり朝食をとってスーツに着替える。方法は人それぞれだと思いますが、こうしたことをするだけで、明るい気分になるのではないでしょうか。

疲れて眠そうな顔をしてオフィスに入っても、最高のパフォーマンスを発揮することは無理です。アスリートになったつもりで、コンディショニングにも時間とお金と頭を使ってください。あなた自身のためにも、非常に重要な仕事です。

column 3

コラム　キャリアアップは人磨き

ライフネット生命設立までの経緯を描いた僕の著書『132億円集めたビジネスプラン』(PHP研究所)が、2010年11月に上梓されました。この本が書店に並んだころ、株主の三井物産の担当者の方からメールをいただきました。

「出版おめでとうございます。これから講演会やセミナーなど、人前でお話しする機会も増えるでしょうから、そのときの小ネタとして、私のライフネットさんとの体験談をお話しします」

メールの趣旨は、多くの出資者が、ライフネット生命に出資することを決断した最大の理由は何か、というものでした。

三井物産さんは、比較的早い段階で出資を決めてくれました。あとから出資を検討された投資家の方々は、必ずと言っていいほど三井物産の担当者の方に話を聞きに来たといいます。

「率直に言って、あの会社はどうなんですか」

最初はこう答えたそうです。

「社長の出口さんという方は、生命保険業界に精通しているうえ、大局観を持たれています。副社長の岩瀬さんは、頭の回転がすごく速い方ですね」

反応は芳しくなかったそうです。そういった情報は、どこでも仕入れることができる一般的なものだからでしょう。三井物産の方は、さらに続けます。

「出口さんは、年配にもかかわらずインターネットに詳しいですよ。うちのネットの専門家も、驚いていたほどです」

少しは投資家の反応もあったといいます。それでも、投資家の方々にとって目新しい情報ではなかったようです。そこで彼は、ご自分の忌憚のない考えを口にしたといいます。

「なぜだか理由はわかりませんが、あの会社の経営陣とビジネスをしていると、とにかく楽しいんですよ」

この言葉を聞いた多くの投資家の方々の目は輝き、嬉しそうに帰られたそうです。そして、そのとき反応した人は一様に、投資を決めたというのです。

決め手になったのは必ずしも「経営者が優秀かどうか」「投資に対する収

益性」ではありませんでした。ポイントは**「一緒に仕事をして楽しい相手か」**だったのです。人は誰しも、最終的には一緒に仕事をして楽しい人と仕事をしたい。優秀で嫌な人より、そこそこ優秀で面白い人のほうが好感が持てると思いませんか。

人間としての魅力は、一緒の時間を過ごして楽しいかどうかという点に行き着くような気がしています。多くの引き出しを持ち、人間味にあふれ、完璧過ぎる人よりも少々おっちょこちょいのほうが可愛らしい（かもしれない）。生真面目で、仕事しかしていない人には、僕は面白みを感じません。

取引の決め手となる要素に、商品そのものの良さがあることは当然のことです。けれども、最終的に商品を買うか買わないか、取引をするかしないかという決断をするとき、人はそれだけでは決めないものです。その商品が好きか、取引する会社が好きか、その会社の人が好きか、共感できるかという視点が入ってくるのです。

そういう意味で考えると、社会人として最も大事なスキルは、**一緒に仕事をして楽しいと思ってもらえるかどうか**ということではないでしょうか。

では、楽しい人とはどのような人なのか。話題が豊富な人、自分が知らないことを知っている人、面白そうなことをやっている人。広く世界に対して興味、関心を持っている人というのは、それだけで面白いと思います。

ライフネット生命には、偶然「自衛隊おたく」が5人も集まっています。連れ立って海上自衛隊の実戦演習を見に行こうと約束したり、ソーシャル・ネットワーク・サービスで語り合ったりするのが好きという人たちです。

筋金入りの社員の机には『今すぐ食べたい！　自衛隊ごはん』などというマニアックな本が置いてあるほどです。そういう人は、理屈抜きで興味が持てませんか。よくわからないけれども、とりあえず話を聞いてみたくなりませんか。

ただ、楽しい人になろうとして無理に趣味を作ったり、幅を広げようとする必要はありません。興味が持てない映画を見る必要も、関心のない美術鑑賞をする必要もありません。ただ、**自分の好きなことを掘り下げるだけでいい**のです。

仕事をしていると、忙しさにかまけてこうしたことを後回しにしてしまいがちです。そのために時間を使うことは、実は大事なことだと気づきました。

以前、相談相手になってくれている人にこんな話をしたことがあります。

「忙しくて、本を読む時間がないんだよね」

僕の姿勢に彼が異議を唱えます。

「立派な経営者は、皆さんすごく本を読んでいるよ。良い経営者であるために、本を読むのは君の仕事だよ。重要な仕事だと思って、堂々と時間を取って読むべきだと思う」

ほかの知り合いにも、別の面で指摘を受けました。

「経営者は、健康が何より大事だ。仕事に没頭する前に、まずは体作りをやりなさい」

経営者がまったく本を読まず、古典にも最新の話題にも疎ければ、社員やお客さまからの尊敬は得られません。見るからに不健康で、いつも眠そうな顔をしていては、お会いする方々に元気を与えることはできません。

あくせくメールの返信をしたり、夥しい数の会議に出たりする以上に、本を読み、体のケアをすることを重視すべきなのです。このことは、僕のような経営者だけではなく、いまはまだ経営者ではない人にも言えることだと思います。

若いころは、このようなことに気が回りませんでした。歳を重ねるにつれ、成長するうえで大事なものの優先順位が変わってきています。こんなことを言うと皆さんの上司に怒られるかもしれませんが、**趣味を伸ばすこと、本を読むこと、体のコンディショニングなどは、仕事が終わってからの空き時間で済ますような重要度の低いものではありません。**

僕の場合、勤務時間中にそうした行動をしたら、その分だけ時間外に仕事をするというやり方で対応しています。会社員である皆さんには難しい時間の使い方かもしれませんが、少なくとも飲みに行って遊んでいるヒマがあったら、成長するための自己投資に時間を使うべきです。

社会人として重要な資質の一つに「きっちりしている」ことが挙げられます。時間を守る、約束を守る、身だしなみに注意を払う。最近、当たり前のことを当たり前にできない人が増えたような気がします。

最新のビジネススキルを勉強することも、もちろん良いことです。でも、その前に**人間としての印象を良くすることや、魅力的な人間であることも大切ではないでしょうか。**

僕はむしろ、そのほうが早い成長につながると思います。仕事ではない部分にこそ、実は大事なものが隠されているかもしれません。

44

苦手な人には「惚れ力」を発揮

以前、ブライダル関係の会社の方に、社内の勉強会で講演をお願いしたのですが、その方の言葉にユニークなフレーズがありました。

「なかなか結婚できない人は、惚れ力を磨け」

結婚相手に求める条件に固執して、あら探しばかりをしてはいけない。相手のどこか良いところを探して、そこに惚れる。それが「惚れ力」だそうです。

入社して間もない若手にとって、職場の人間関係は、社会のすべてに感じられても不思議ではありません。上司や先輩との関係がうまくいかないと、それが大きなストレスになることも考えられます。

人間関係をストレスにしない方法、それが「惚れ力」です。職場でも相手の良いところを見るようにしてください。苦手な上司、嫌いな先輩に対しては、なおさら「惚れ力」を駆使すべきなのです。

多かれ少なかれ、誰もが人に誇れる何らかの経験を持っているものです。良いところもあるはずです。欠点は誰にでもあり、悪いところを見るときりがありません。

この上司は話が長いから苦手だ。そこで終わらせずに、その上司の豊富な経験と知識は勉強になるのではないか、と考えてみてください。そうすれば、頻繁に話を聞きに行こうと考えます。話が長いという欠点は、何か理由をつけて終了時間を決めてからミーティングに入れば解決できます。

この上司は頭の固い親父だから嫌いだ。しかし、軸はブレないしイザというときに頼りになる。そう考えれば嫌いな上司を避ける理由がなくなります。誰にでも必ず得意なところがあり、その部分だけを参考にすればいいのです。

嫌いな部分、苦手な部分は、単なる特徴と捉えればいいです。その人にはどういう強みがあるのか。そう考えながら人とつき合ってみてください。

人は、自分に好意を持ってくれる人を邪険に扱いません。しかし、相手から嫌われているという空気は必ず伝わります。どんなに気難しい上司でも、良いところを見つけて尊敬すれば、おそらく嫌われることはないでしょうし、チャンスをもらうこともできると思います。

むしろ、嫌いな人、苦手な人ほど懐へ飛び込むべきだと僕は思います。お昼にでも誘ってじっくり話をすれば、そんなに悪い人ではないかもしれません。

以前、こんなことを言われました。

「岩瀬君は、人の才能を好きになる力がある」

僕の長所は人のことを好きになれることです。人を好きになれば、人の良いところを見出すことができると思います。

世の中、つまらない人、嫌な人は1割もいないと思います。誰もが面白くて良いと認める人は3割ぐらいでしょうか。半数以上の人は、良い面と嫌な面を両方持った人だと思います。そんな人は、こちらの関わり方次第で良い面をクローズアップすることができるのです。

会社は、様々な特徴を持った人間同士が、家族よりも長い時間を過ごす場所です。だとすると、**働くということは、何かを成し遂げる以上に人と人とのやり取りが大切になってくるのではないでしょうか。**職場で得る知的な刺激や人との触れ合いで、喜んだり怒ったり泣いたりすることが、本質のような気がしています。

外資系出身でMBAホルダーの僕がこんなことを言うと、意外だと驚かれる人もいます。しかし、この本でも再三人づき合いについて書いているのは、こういう思いが根底にあるからなのです。

45

ペース配分を把握せよ

外資系の会社にいたときは、9時から5時までという時間的な拘束がありませんでした。ミーティングの時間を除いては細かい行動管理もされず、締め切りまでに成果を挙げれば、何をやってもいいという空気がありました。

当時の僕は、勤務時間中にジムに行ったり、プールで泳いだこともあります。どうせ朝まで仕事をするのだから、昼間2時間ぐらい抜けても構わないではないかという考え方です。僕が最も重視したのは、仕事で最大のパフォーマンスを発揮するためのペース作りでした。

日本の企業では、その考え方が通用しないのはわかっています。ただ、**どこに集中のピークを持っていくかというペース配分は重要です。**

今日の夕方まで頑張ればいいのか、明日の朝まで頑張らなければならないのか、来週まで続く仕事なのか。マラソンではありませんが、スパートするタイミングを間違えると、レースの結果まで左右されてしまうこともあるのです。

ペース配分を考える際に重要なことは、**自分の最大限の力を発揮できる状態を知る**ということです。

ここ最近、本やブログの原稿を書く機会が多いのですが、書けないときはまったく書けない状態に陥ります。締め切りまで30日あったとしたら、極端に言うと29日書けないことさえあるのです。これが僕のペースだと自覚はしていても、こんなに書けないのは僕ぐらいではないかと不安に苛まれることもありました。

あるとき、レバレッジコンサルティングの本田直之社長と話をしていて、原稿執筆の話題になりました。本田さんは本をたくさん書かれている方です。

「本田さんは、ハイペースでご執筆されて、すごいですね」

「そんなことないよ。俺も結構書けないんだよ。お気に入りのスターバックスのお気に入りの席に座ってお気に入りの音楽を聴いていると、何回かに1回ノッて書けるときがあるんだ。その瞬間を待つというところはあるかもね」

あの本田さんでもそうなのかと励みになったことを覚えています。皆さんも受験生時代にそんな経験をしていたのではないでしょうか。図書館やファーストフード店に、勉強がはかどる場所があったのではないでしょうか。

ランニングで考えてみましょう。皇居1周は5キロあります。周回コースを走る人の平均タイムは25分から30分だと言われています。ランナーそれぞれの走り方を見ると、特徴があることがわかります。

25分で走る人もいれば、30分かける人もいます。同じ25分で走る人でも、同じペースで走りきる人もいれば、初めはゆっくり走って最後にスパートをかける人もいます。スタートダッシュをして、後半はゆったりと流す人もいるでしょう。それぞれ、自分なりに最も力を出せるやり方で走っているのです。

日によっても異なります。残り4分の1まで来たときに、自分の疲れ具合や体調によって、最後までいまのペースで走りきるか、ペースの上げ下げを考えることもあると思います。

仕事に対する考え方も同じです。来週の月曜日に締め切りが来る仕事があるとして、自分のペースを把握できていれば、現時点でこの状態だったら大丈夫、この状態だったらまずいということがわかるのです。

たとえば、レポートを準備しているのであれば、**骨格やメッセージが見えていれば、まったく完成していなくても安心だという場合もあります。**逆に、ある程度進行しているように見えても、全体像がつかめていないために不安に思うこともあるのです。

僕の場合は、締め切り直前に何とかひねり出せるという自覚があるので、途中は進んでいないように見えても不安を感じません。その分、最後に時間を取るよう気をつけています。皆さんそれぞれのペースを知り、どういう状態であれば仕事がはかどり、アイデアが湧き出るかを認識するのは、とても大事なことだと思います。

自分のペース配分やパフォーマンス最大化の状態さえ把握しておけば、集中すべきときがわかります。その合い間には、思いきって休むのも仕事のうちです。

「本当に休んでいいのかなあ」

若いうちはそうした不安に駆られるものです。あるいは、休んではいけないという強迫観念に苛まれることもあるかもしれません。

しかし、積極的休養という言葉があるように、**次に最高のパフォーマンスを発揮するためのコンディショニングと考えて、必要あらば堂々と休んで構わないのです。**

46

同期とはつき合うな

少々刺激的な見出しかもしれませんが、同期とのつき合い方は、よくよく考えたほうがいいと思います。

確かに、同期の存在は助けにもなり、支えにもなります。刺激になり、励みになることも否定しません。基本的には同期は大切にすべきものだと思います。

そのうえであえて言います。**同期とつき合うデメリットがあります。それも二つ。**

一つは、同期同士で比べてしまうことです。比べることが良い意味での切磋琢磨になっているうちは許容範囲です。

「あいつのほうが、この夏のボーナスが10万円高かった」

「あいつのほうが上司に気に入られている」

こんな劣等感や妬みが頭をもたげてくると、ものすごく小さな人間になったような気がしませんか。

人は、人と比べている限り、残念ながら幸せにはなれません。自分にとって幸せに思えたことも、同期より下だということがわかってしまったら、幸せの感覚は半減するものです。

反対に、同期と比べて優越感に浸るのも、井の中の蛙でまったく意味のあることではありません。そうした比較をするくらいなら、いっそ同期とはつき合わないほうがいいとさえ僕は思います。

もう一つは、〝内向き化〟してしまう恐れがあるという視点です。

ある会社の中でしか通用しないスキルやロジックしか持ち合わせない人は、これからの時代は生き残っていけないと思います。居心地の良い同期とばかりつき合うことで、**視線が外へ向かわなくなっては困る**のです。

同期で飲みに行っても、会社や上司のゴシップで終わってしまうことが少なくありません。傷の舐め合いや足の引っ張り合いになることさえあります。

そんな非生産的なことに大事なあなたの時間を費やすくらいなら、ぜひとも他流試合をしてください。夜の自由な時間は、できるだけ社外の人とつき合うようにしたほうがいいと思います。

47

悩みは関係ない人に相談

仕事を始めたばかりのころは、瞬く間に時間が過ぎていくものです。はじめて経験することばかりで、夢中で取り組むしかないからです。

しばらくすると、会社の環境にも、仕事の内容にも慣れてきます。歩調を合わせるように、仕事や人間関係の悩みが生じてくるでしょう。

自分の心や行動を変化させることで解決できる悩みは、自力で解決することが望ましいと思います。とはいえ、社会人になると、簡単に脱することのできない悩みに直面することもあるでしょう。

解決できそうもない悩みを一人で抱え込んでも、良いことはありません。堂々巡りのスパイラルに落ち込み、何の解決策も生まれないものです。誰かに相談することで視点が変わり、解決の糸口を見出せることもあるのです。

問題は、**誰に相談するか**ということです。

こうした問題は、直属の上司には相談できない種類の悩みです。一般的には、同期や気心の知れた友人に助けを求めるパターンが多いと思います。もちろん、そこで最善の解決策が生み出されればいいのですが、往々にして、ただ話を聞いてもらって気休めになる程度で終わりがちです。

思いきって、仕事上の悩みは、会社や仕事に関係ない人に相談してはいかがでしょうか。**利害関係のない人、自分とは目線や立場、考え方の違う人の話を参考にするのです。**

僕の場合は、他社の先輩経営者にアドバイスを求めます。彼らは、かつて僕が悩んでいる問題に直面し、くぐり抜けてきた人たちです。その経験を踏まえた助言をもらえると考えたからです。

例外はあると思いますが、23歳の人には23歳なりの経験しか持っていません。同世代に悩みを相談しても、経験に裏づけられた具体策はなかなか出てこないものです。

それに対して、35歳の僕だったらこんなことが言えると思います。

「きみは十分頑張っているよ。23歳はこんなものだから、悩まなくて大丈夫」

「確かにそういうときもあるよね。僕はこうやって乗り越えたよ」

社外、年上、目線の違う人。そういう人を探してください。見つからなければ周囲を見渡してください。思い当たりませんか。あなたのご両親です。意外な観点からのアドバイスをしてくれるかもしれません。一人思い悩むより、周囲を見渡して意外な人に相談してみることです。

48

社内の人と飲みに行くな

社長の出口が、繰り返し言っていることがあります。

「大企業の社員は、いつも社内の人間とばかりと飲みに行くんだよ。僕はそれが嫌だったから、めったに社内の人と飲みに行かなかった」

僕は大企業に勤務した経験がないので、実態はわかりません。でも、その考え方には賛成です。現実問題として、僕はあまり会社の人と飲みに行きません。

仕事が終わってからも社内の人間とベッタリするより、様々な人たちとつき合うほうが成長できると思っているからです。**できるだけ、夜は社外の人と飲みに行くように意識して予定を入れています。**

いまでは死語だと思いますが、かつては「飲みニケーション」なる言葉がありました。仕事が終わったあとも会社の上司や先輩と飲みに行き、酒場で語り合う親密な交流こそが、コミュニケーションを図る唯一絶対の手段という発想です。これにつき合わない若手は、疎外感を味わうことになりました。

上司や先輩と仲良くなるためには、飲みに行かないといけないと考える人は多いようですが、心配は無用です。**飲まなくても仲良くなれます。**じっくり話もできます。いま流行のランニングという共通の趣味があれば、一緒にマラソンに挑戦するのです。自転車を持っている先輩がいれば、一緒にツーリングに出掛ければいいのです。共通の趣味を通して時間を共有すれば、飲みに行く以上に仲良くなれるはずです。

たとえば、お酒を飲まない上司がいたとします。「飲みニケーション」では、その上司とは永遠にコミュニケーションが取れません。本当にそうでしょうか。

会社から遠いところに住んでいる上司は、必然的に飲みに行く頻度は少なくなるはずです。朝も座って通勤したいために、早い時間の電車に乗る人も多いと聞きます。そうした上司とコミュニケーションを取るためには、飲み会ではなく、むしろ早い時間に出社している必要があるでしょう。同様に、経営陣も夜は会食などで不在がちですが、朝早い時間であれば在席してのんびり新聞を読んでいることも。**いつもより早く出社して、そういう人たちとコミュニケーションを取ってみるのも手でしょう。**

毎日同じような顔触れで飲みに行っていると、社外の人脈は広がりません。そればかりか、日ごろコミュニケーションが取れない社内の上司との関係が発展する可能性さえも逃してしまいます。

朝のコミュニケーションと夜のコミュニケーション。こんなふうに考えるだけで、社内外の人間関係がグンと広がります。

49 何はともあれ貯蓄せよ

僕の父親は、あれこれと口うるさく言わない人でした。

小学生までは、躾の範囲内で小言を言われることもありましたが、中学生になってからはピタッと止んだのです。

僕が中学生になったら言うのをやめようと決めていたそうで、どのような場面でも「頑張れ」と微笑んでいるような父親でした。

そんな父から、社会人になるときにこんなことを言われました。

「一つだけお前にアドバイスしたいことがある。貯金しろ」

若いころの自分を後悔しているからだと言います。貯蓄しなかったことで、得られるはずだった何かを逃してしまったのでしょう。

まだ若かった僕は、父の思いを汲み取ることができませんでした。父のくれた唯一のアドバイスを、実行に移すことができなかったのです。

親子二代にわたる後悔を踏まえたうえで、いまの僕が皆さんに言えるのは、やはり**貯蓄してください**ということです。

若いうちは貯蓄なんかしなくていい。どんどん遊べ。若い自分に投資することによって、人間的な成長が促進される。昔からよく言われることですが、一面では正しいと思います。でも、やはり貯蓄することをおすすめしたいのです。

ストイックに貯める必要はありません。財形貯蓄や定期積立のようなものを、月1万円からでも2万円からでも始めてください。貯めたお金で何か買いましょう、老後に備えましょうと言うつもりも毛頭ありません。

ある程度金額がまとまると、貯蓄を資産と認識するようになります。30万円、50万円、100万円。その金額は人それぞれです。そこで引き続き貯蓄するのか、株を買うのか、自動車を手に入れるのかなどと考える。資産をどう活用するかという観点が生まれてくるのです。

学生時代までは、おそらく消費することしか考えていなかったと思います。貯蓄をすることで、投資という発想を持つようになるのです。投資をするためには、投資対象の商品内容を知らなければなりません。投資収益率も考えるようになるでしょう。貯蓄をすることが、お金のリテラシーを身につけることにつながるのです。

目の前に自由に使えるお金が30万円あったら、人間の行動は変わります。旅行に行くのもいいでしょう。芝居を観に行ったり、コンサートを聴きに行ったり、本を大人買いするのもいいと思います。

コンディショニングや勉強会のためにお金を使うのも一つの方法です。普段はなかなかできないことに投資し、自分のパフォーマンスを最大化する下地を作ることに、そのお金を投じることも可能です。

社会人になったからには、企業の資金循環に関する勉強をすべきだと言いました。それと同時に、個人のお金にまつわる勉強もしてほしいのです。

株や債券などへの投資、住宅ローンなど、基本的なお金の仕組みを一通り知っておくことは大切なことです。複利の考え方を知っているか知らないかでは、大きな差がついてしまいます。怪しい投資商品を買わされたり、騙されてお金を巻き上げられないためにも……。

お金については、まずは**身近にいる先生をつかまえて相談してみてください。**多くの上司や先輩は、生命保険料や住宅ローンを支払っています。株に投資している先輩もどこかにいるはずです。

アドバイスを受けて勉強したら、実際にトライしてみてはいかがでしょうか。高額である必要はありません。小口でも投資はできます。

貯蓄をして原資を作り、投資をするためにお金の勉強をする。そのプロセスの中でお金に詳しくなっていくでしょう。

投資のリターンを得られる保証はできませんが、**勉強することで自分へのリターンは確実に返ってきます。**

あと一つ、ここまでで書き忘れていたことがありました。

生命保険への加入を検討するときが来たらぜひ、ライフネット生命をご検討ください（笑）。

皆さんのような意識の高い若手ビジネスパーソンにぴったりの商品で、お待ちしています。

50

小さな出費は年額に換算してみる

飲みに行くとき、できるだけ安い飲み屋さんを探す努力をすると思います。

電化製品を購入するときも、何軒も電器店を回って、同じ商品を少しでも安い値段で買おうとするでしょう。

その金銭感覚は素晴らしいと思います。これからもぜひ継続していただきたいと思います。でも、意外に無頓着な部分があることを自覚しているでしょう。

コンビニでの買い物です。

コンビニに行くのが習慣になっていませんか。必要なものを買いに行って、ついでに買ってしまう無駄なものがあるはずです。1回当たり300円、朝と晩にコンビニに行けば、たちまち600円、700円になってしまいます。自販機で買うジュースやお茶なども同じ。

「そんな金額、たいしたことないじゃん」

そう思われるかもしれません。学生時代はともかく、社会人になるといつでも財布にお金が入っています。千円単位、1万円単位の出費には警戒しても、小銭に対する感覚が麻痺してしまうものです。

やっかいなのは、極端に使い過ぎない限り、あなたの財政を圧迫しないことです。しかしながら、その油断が積み重なると、看過できない出費になるのです。

銀行の手数料もそうです。

銀行からお金をおろすとき、仕事の忙しさから必ずしも営業時間内にATMに行けないこともあると思います。そんなとき、あなたはどうしますか。手数料がもったいないから、翌日まで待ちますか。105円、あるいは210円を払って、いまお金をおろすことを選択しますか。

「105円だから、まあいいか」

そう考える人が大半だと思います。しかし、金利が1%もつかない時代に、無駄に手数料を払っていませんか。聞いた話ですが、ある知人が新入社員のときに、銀行からお金を引き出すときにかかった手数料1年分を計算し、その金額に驚愕したことがあったそうです。

まず習慣づけてほしいのは、**すべての出費を年額に換算することです。**

コンビニで1日当たり500円の買い物をしたとすると、週5日の勤務で月に1万円の出費があるということです。これを年換算すると、12万円という計算になります。果たしてコンビニでの買い物に年間12万円かけていいのか。あなたがこの金額をどう考えるかということです。

小遣い帳のようなものをつけてもいいでしょう。細かく記入することを義務づけると、面倒になって続かないと思います。ざっくりと書いておけばいいのです。

それも面倒であれば、コンビニや自販機用の小銭入れを持ち、普段持ち歩いている財布と分けてはいかがでしょうか。何を買ったかまで把握する必要はないので、その財布にいくら入れて、どれだけ出ていったかだけ把握してください。

無意識のうちに無駄なお金を使う愚は、これである程度は防ぐことができると思います。もちろん、お金の使い方は本人の自由です。貯蓄さえしていれば、とやかく言われる筋合いのものではありません。

ただ、**そのお金の使い方で本当にいいのか。それだけはじっくり考えてみる必要があると思います。**

column 4 コラム

チャンスをつかめる人になれ

以前から取引したいと望んでいたお客さまに、念願叶って懇意にしていただけるようになりました。ある日、あなたはお客さまから忘年会の誘いを受けます。お客さまが特に親しくされている方々との会食に、あなたも合流しないかと誘われたのです。

あいにくその日は、２件の忘年会をかけもちしなければならないほどスケジュールが詰まっていました。さらにもう一件の会食に顔を出すためには、先約の忘年会に腰を落ち着ける時間を短縮しなければなりません。お客さまは、誘いの言葉の最後をこう締めくくりました。

「比較的遅い時間までやっていますが、くれぐれも無理をしないでくださいね」

さて、あなたならどのような行動を取るでしょうか。

似たようなケースを僕も経験しました。

2件の忘年会に出席し、カラオケを歌ったため、少々声が枯れています。お酒を飲んだこともあって、眠気を抑えることはできません。時刻は1時を回っています。連日の忘年会疲れで、体調も良くありません。

それでも、僕は誘われた3件目の会食に顔を出しました。こちらもカラオケでしたので、明るい歌を歌って座を盛り上げました。会が開いたのは、午前4時を過ぎたころです。3件目の会食を主催したお客さまからは、末長くおつき合いしましょうという言葉をいただきました。

3件目の会食に参加した理由は簡単です。初めて取引したお客さまと、**ビジネスシーン以外でコミュニケーションを取る絶好のチャンスだと考えたからです。**初めて受けたお誘いは何があっても参加し、長くおつき合いをしていくための下地作りをしなければならないと思ったのです。

3件目の会食に参加することは、僕にとっての「勝負どころ」だったのです。

大事な局面を迎えている。いまは行かなければならない。勝負どころを的確に判断できない若者が増えていると感じています。

「すごく良いチャンスだから来いよ」

そう水を向けても、こんな答えが返ってくるとがっかりしてしまいます。

「その日はちょっと都合が悪いので、行けません」

あらかじめ決まっていた予定があるのですから、こういう返事も許されるのかもしれません。しかし、**すべての予定をキャンセルしてでも行くべき場面があることを心に留めておいてください。**勝負しなければならないときを知り、そのときは徹底してやってください。

「眠気も限界にきているので、今日は帰ります」

これでは失格です。やると決めたら、最後までやりきるのです。

もちろん、勝負どころを的確に捉える嗅覚が、初めから備わっているわけではありません。身につけるためには、経験豊富な上司の発した「良いチャンスだから」という言葉の重みをしっかりと受け止める必要があります。何気ない一言を受け流してしまっては、大事な局面を認識することはできません。

誤解のなきよう言いますが、僕は「飲み会の二次会には行かなくていい」と書きました。だからといって、何でもかんでも「行かなくていい」とは思っていません。この見極めが重要なのです。

仕事においても人生においても、僕は勝負のタイミングというものがあるような気がしてなりません。サーフィンにたとえると、大きな波が来たときに、いまこの波に乗らなければならないとわかる感覚です。

何があろうとも、この波には絶対に乗る。次にもっと大きな波が来るかもしれないから、**この波はパスしようと思わない感覚。**そういう世界観、人生観を持つことが大事だと思っています。

チャンスをつかめる人というのは、必ずしも人より運がいいというわけではありません。**チャンスが目の前に来たときに、それに気がつき、思いっきり跳ぶことができる人なのです。**

勝負どころと似たような話で、「偶然を大切にする」というのもあります。

２０１０年3月16日、友人と二人で歌舞伎座のさよなら公演を見に行きました。そのときのチケットが、３の16と３の17だったのです。その日の日付と同じ座席番号、もう一方の座席は僕の誕生日3月17日と同じ番号です。そうした偶然から始まって、３月はそれから良いことが続きました。

大学の同窓会でこの話をしたところ、サラリーマンの友人はこう言います。

「そんなのたまたまだし、いくらでもあるよ。俺だって……」

同窓会には、僕のほかにもう一人社長をしている友人がいました。

「わかる。それはとても大事なことだよな」

彼だけが僕の考えに同意してくれたのです。これまでの経験上、社会的立場が上がれば上がるほど、偶然や天運のようなものを大事にしている人が多いものです。

実のところ、偶然はそれほど頻繁に起こるものではありません。問題は、その偶然を何かのシグナルとして受け取れるかどうかです。

自分の力の及ばない大きな力を理解して敏感になる。過度に反応するのは考えものですが、縁起のいいことが起こっているからいまは攻めどきだと思う感覚は持ってもいいと思います。良くないことが続いているからいまはやめておこう、これには近寄らないほうがいいと思う感覚も同様です。

予兆のようなものをよく見るようになると、感覚が研ぎ澄まされ、思考が変わってきます。たとえば、掃除が行き届いているオフィスに、良い「気」が漂っていると感じるのは、単なる迷信ではありません。掃除が行き届いたきちんとした会社だからこそ信頼感が生まれ、良いイメージが湧いてくるのです。

社会人にとって最も大切な命題は、自分の能力を最大限引き出すことです。最大になった力を、勝負どころに注ぎ込むのです。

勝負どころを知覚する能力は、アドバイスを聞いたり、経験を積んでいくことで高まっていきます。自分の力の及ばない予兆に敬意を払い、ついているときを勝負どころと捉えることも必要でしょう。

ただ、それを待つだけでは成長は早まりません。会食の事例で言えば、勝負どころかどうかわからなければ、初めての機会はすべて参加するのです。自ら経験することで、大事な局面か否かを判断する能力が培われていくのです。

おわりに　社会人の「勝負どころ」は最初の瞬間

テレビ出演の依頼が来た！

２０１０年12月14日、フジテレビのプロデューサーから連絡が入りました。毎週日曜日の朝の報道番組「新報道２００１」への出演依頼です。

テーマは税制と社会保障。放送の数日前に民主党が発表した翌年度の税制改正案を受けて、政治家２人が議論する。それを聞きながら、大学教授とファイナンシャルプランナーと僕の３人がコメントを加えるという番組です。

生命保険会社の経営者ですから、あながちこの番組のテーマから遠いところにいるわけではありません。しかし、当時の僕は、税制にも社会保障にも決して明るいとは言えませんでした。

それでも、すぐに承諾しました。この機会を、僕は「勝負どころ」と捉えたからです。僕がテレビに出演することは、会社にとって重要な仕事です。

視聴率が高い民放のテレビ番組で「ライフネット生命副社長・岩瀬大輔」というテロップとともに、顔とコメントが放送されることは、計り知れない宣伝効果があると考えたからです。

しかし、放送日までは5日間しかありません。僕は通常業務をこなしながら、出演するための準備を進めます。

5日間に何をしたか。

その間の僕の行動を知っていただければ、本書でお伝えしてきたことをより深く理解していただけると思います。

徹底的に知識を詰め込む

まず、社長の出口と話をしました。出口からはこう言われます。

「このテレビ出演は、**今年で一番大事な仕事**だからね」

出口も、僕と同じ感覚でした。来年以降のライフネット生命にとって、メディア出演は大きなチャンスになる。それを生かすには、ただ出演するだけではなく、正しいことを説得力を持って語らなければならない。出口は最後にこう言いました。

「通常の仕事に加えて、忘年会の季節で忙しいのはわかるけど、毎日いつもより1時間か2時間早く帰って、徹底して勉強しなさい」

取り急ぎ、僕は書店に行き、**関連する本を10冊ほど大人買い**しました。たとえば消費税の経済学、政治経済の本、税制の基本書といったものです。それを一気に読んで、参考になる本と読む必要のない本を仕分けます。参考になると思った本は、一度目よりも丁寧に読み込みます。

そして、データや情報など、関連するものをメモに残していきます。たとえば現在の政府債務比率は、１９４４年とほぼ同額です。この数値は、太平洋戦争末期の日本と同じなのです。こんな具合に、**もしかしたら使えるかもしれないという数値やフレーズを、片っ端から拾っていく作業をしました。**

本を読み込む作業を始めたところ、しばらく連絡をしていなかった財務省の友人にコンタクトを取りました。やはり**専門家に聞くのが早い**と判断したからです。**メールではなく、電話**です。昼食のアポイントを取り、食事をしながら事情を話しました。彼はこう言います。

「そういうことだったら、たぶんうちの人間がレクチャーしに行きたいと言うと思うよ。ちょっと話してみる」

財務省からはすぐに反応がありました。当初は若手官僚が来るはずだったのですが、内容も内容だからということで、課長クラスの人が二人で来て説明してくれるという話になりました。テレビでおかしなことを言われたくないでしょうから、あとから考えれば当然の成り行きだったのかもしれません。

外資系投資銀行の友人に連絡。テレビに出ることを伝えたら、ありがたいことに、頼んでいないのに上司のチーフエコノミストとの面会までセッティングしてくれました。この方は、財務官僚とは逆の立場から意見を発信している人でした。

それまでの間、僕は**知識の集積を進めよう**と考えました。関連する数値など押さえるべきものは頭に叩き込んで、質問する項目をすべて書き出しました。メモには消費税、法人税、所得税、歳出削減、医療費、年金、介護、為替、規制緩和、成長戦略、移民、FTA、労働者などといったキーワードが並んでいます。

友人が紹介してくれたエコノミストの方とは、昼食をご一緒しました。**メモに書いたことを、2時間にわたって質問し続けました。**おそらく、ランチを食べながらこんなことをすべて聞く人間はいないと思います。僕はメモを取りながら、一言一句聞き洩らさないよう懸命に話を聞きました。

そうした作業を重ねていくうち、徐々に全体像がつかめてきます。気の利いたことも少しずつ言えるようになっていました。

本番さながらのリハーサル

その段階になると、**考えている仮説をすべて紙に落とします。**日ごろお世話になっている日銀の方に「今考えていることを全部聞いてください」と一気に仮説をまくしたてました。話し終わると、その方は仮説に対して一つ一つ丁寧に解説を加えてくださいました。

やがて、財務省の方と面会する日を迎えます。ここでも、財務省の方にレクチャーを受けるのではなく、僕がそれぞれの項目について話し、それについて錯誤がないか、別の考え方がないか、**意見や批判を求めて議論しました。**

高齢化社会による医療費と年金の急増。社会保障の問題は、煎じつめればこれにどう対応するかという話になります。結局、収入を増やすか支出を減らすしかないという問題です。

収入を増やすには、税金か保険料を上げるしかありません。支出を減らすには、無駄な歳出を減らすとともに、年金や医療費を下げるしかありません。あとは、孫の代から借りる借金です。

チーフエコノミストから教わった話を財務省の人にぶつけました。それは、貯蓄に課税するという考え方です。お年寄りがお金を貯め込んで使わない。毎年1パーセントずつ課税すれば、お金を使うのではないか。

財務省の方が反論します。その考えにはこういう落とし穴があって、むしろこうしたほうがいいですよとアドバイスをしてくれます。

「たとえば、消費税を1パーセントずつ上げていく方法が同じ効果を持つのです。来年、増税分だけ物価が高くなるのであれば、その分お金の価値は下がります」

財務省の方は、むしろそのほうが現実的だと言います。国民の貯蓄口座を一元的に把握するのは至難の業で、実行するのは困難だと言うのです。

仮説が崩れ、新たな考えを構築する。僕の知識はどんどんブラッシュアップされていきます。その後も、財務省とは反対の立場の意見を主張している別のエコノミストの方とも議論をして、誰かの受け売りにはならない、バランスの取れた見方ができるようにしました。さらに前の晩には、厚生労働省の若手エースと呼ばれている方と仲良くしていましたので、彼にはメールで相談しました。

「岩瀬さんは、生命保険会社の経営者という立場ですから、弱者やお年寄りを大切にしていないかのように思われることは、安易に口にしてはいけません。年寄りばかり恵まれて、若い人は搾取されているといった世代間対立を煽ってもいけません。もっと柔らかい言い回しで考えを伝えるようにしてください」

彼からもらった丁寧なメールのおかげで、表現が柔らかくなりました。そして前日の土曜日、手薄だった項目に対して追加のレクチャーをメールで受けながら、一つ一つ整理して、最後の意見をまとめました。

5日前には素人同然だった僕が、土曜日の夜の時点では、税金と社会保障に関しては何を聞かれても答えられる、気の利いたこともそれなりに言える人になっていたのです。**まさに総力戦で準備にあたった成果です。**

前の日の夜は、コンディションを整えるため、お酒を飲まずに早く床につきました。当然のことながら早い時間に目が覚め、勝負服を着用し、身だしなみを整えて収録に臨みました。

まったく緊張しなかった本番

生放送当日、番組の中で「ヘルパーは65歳」と題したＶＴＲが流れました。長崎の五島列島には、人口60人の島があります。そのうち、35人が65歳を超えていて、85歳の人を65歳の人が介護している様子が映し出されます。

85歳の人は認知症で「あんた、わしの金取っただろ」と疑いの目を向けます。介護する65歳の人が「取ってないよ」と返し、インタビューで「もう疲れました」とぼやく。そんな話です。

VTR後、画面がスタジオに戻ってくると、僕はコメントを求められました。

「私の家族は、祖母が90歳で母は60歳です。二人とも社会保障では同じ『高齢者』というくくりになっていますが、祖母と母ではまったく違います。ひとくくりにお年寄りと言っても、まだ元気なアクティブシニア層と、助けが必要な75歳以上のシルバー世代は違います」

僕はコメントを続けます。

「統計によると、高齢者の28パーセントの世帯が、預貯金を3000万円以上持っています。お年寄りというと、それだけで弱者のようなイメージを持たれがちですが、実は3割の人が3000万円以上持っているのです。何千万人という高齢者をひとくくりにして、たとえば年金を一律7万円にするという政策ではなく、丁寧に切り分けて考えていかなければならないと思います」

その後も何度かコメントをする機会に恵まれ、納得のいく発言ができました。デビュー戦としては悪くなかったようで、ディレクターの方には好評でした。それだけでなく、年が明けてからも、再び番組に呼んでもらえました。

番組を見た友人にこう言われました。

「お前、最初のほうは緊張していただろう」

そう見えたかもしれませんが、実のところ、僕はまったく緊張していませんでした。それは先に書いた通り、**徹底した準備をしていたから**です。

大量の資料を集め、取捨選択しながら頭に入れる。詳しい専門家に意見や考えを聞いて、自分の考えを構築し、ブラッシュアップしていく。プロフェッショナルを前にリハーサルを重ね、誤った認識を修正し、不足している点を補う。そうすることで、僕の言うことは間違っていないという**自信を得た**のです。

どうでしょうか。

この事例は、まさに仕事の進め方そのものだと思います。皆さんが会社で取り組んでいる仕事とテレビ出演は違いますが、エッセンスは同じだと思います。

この本で書いた3つの原則と50のルールは、いま僕が日々の仕事で実践していること、そのものなのです。

僕のケースのように各分野のキーマンに気軽に会いにいくことは難しいとしても、上司や先輩、社外の知人を総動員すれば、詳しい人にきっと出会えるはずです。その人たちに教えを請うのはもちろんのこと、自分の仮説を披歴して修正してもらえば、たいていのことには対応できるのではないでしょうか。

仕事は「ここぞ!」というときのための準備である

繰り返しますが、**社会人としての「勝負どころ」は初回です。**

入社1年目、転職1年目、異動による着任初日など、最初に訪れる機会です。紹介した僕の事例で言うと、初めて依頼されたテレビ出演です。しかし、そう捉えていない人が意外に多いことに気づかされます。

「1年目はアイドリング期間だから、それなりに結果を残せばいいよ」

「社会人としてのスキルは、おいおい学んでいけばいい」

「だんだん職場や仕事に慣れていくさ」

そうした考えは、大きな誤りなのです。

いくら優秀な人でも、最初に頼んだ仕事で手を抜いてしまうと、この人は仕事に対して手を抜く人間だという評価をされてしまいます。

そうなると、その人にどこまで仕事を任せられるか、今度どういった仕事を頼むかということまで変わってきてしまうのです。

人間が抱くすべての印象は、初めての機会で形成されます。そして、それを覆すのは至難の業です。逆に考えると、最初に良い印象を与えられれば、次の仕事の依頼は難なく回ってきます。そこで良い仕事をすれば、さらにダイナミックな仕事を任せてもらえる機会が訪れ、その人は急速に成長していくのです。

いつ「勝負どころ」が訪れるかを予測することは容易ではありません。最初に訪れたチャンスをつかみ、ベストの働きをするためには、**十分な準備をする以外にできることはありません。**

このことは、アスリートにたとえるのがわかりやすいと思います。

入ったばかりのルーキーが、いきなり先発メンバーに選ばれることは滅多にありません。突然やってくる出番で結果を残し、それを積み重ねることでしか先発メンバーに昇格する道はありません。それがチャンスというものなのです。

同じ出番でも、15対0で負けているときの代打もあります。9回裏ツーアウト満塁、一打逆転サヨナラという場面で打席が回ってくるかもしれません。いずれにせよ、そのチャンスで自分の持てる力を最大限発揮し、最高の結果を出さなければ、残念ながら次の機会は訪れないのです。

そうした状況を理解できず、見逃し三振をしてしまうのは最悪です。コーチにチャンスをもらったのに「今回はやめておきます」などと言う選手は、二軍に落ちて当然と思われてしまいます。

チャンスをものにするためには、うさぎ跳びを100本やるように、自分の体に負荷をかけることも必要です。一方で、最高のパフォーマンスを発揮するためには、コンディションを整えることも必要です。

長いシーズンでは、スランプに陥ることもあります。そのときは、監督やコーチをはじめとするいろいろな人のアドバイスを聞き、試行錯誤を繰り返さなければ乗り越えられないかもしれません。

一流アスリートといえども、心と体とスキルのバランスがすべて一致したときにしか、最も高いパフォーマンスを発揮することはできません。だとするならば、凡人のわれわれが準備を怠っていては、成長できるはずなどありません。

テレビ出演を依頼されてから収録当日までに何をすべきか。僕は知識や見識を充実させるための方法を知っていました。それをブラッシュアップするため、プロフェッショナルの力を使う方法論も人脈も持っていました。つまり仕事を進めていく術そのものを知っていたのです。

仕事とは、未知の分野への挑戦の積み重ねです。それを自分の血肉としてはじめて、社会人としての飛躍的な成長が望めるのだと思います。そして、**勝負どころでチャンスをつかめた人が、より大きな次のチャンスの切符を手にするのです。**その積み重ねが、あなた自身の成長にもつながっていくのです。

挑戦するためには準備が必要です。しかも、正しく洗練された準備でなければなりません。来るべき「勝負どころ」をつかみ、近い将来飛躍できる人になるためには、準備の方法を理解し実践する以外にないと思います。

本書は、社会人になって間もない人、これから社会人になろうとしている人に向けて、僕なりに培ってきた仕事に臨む姿勢をお伝えするものです。もちろん、いまの自分を見直そうとするベテランにもお読みいただきたいと考えています。

とはいえ、本書を読んだからといって、見違えるように仕事ができるようになる、即効性のあることは書かれていません。

一つ一つの項目を丁寧に心に落とし込んで、少しだけ行動を変えてみてください。

しばらくすると、それぞれの行動が相乗効果を生み出し、驚くべきスピードで成長する自分を実感できる。僕はそう信じています。

最後に本書を執筆するに当たり、ダイヤモンド社の和田史子さんには大変お世話になりました。この本で目指しているような素晴らしい職業人、プロフェッショナルとしての仕事ぶりを近くで見せていただいたことも、大きなインスピレーションとなりました。また、とりとめのない話をテンポのいい原稿にまとめてくださった新田匡央さんにもお礼を申し上げます。

この本を最後まで読んでくれたあなたが、よりダイナミックかつ積極的に仕事と向き合い、一つでもチャンスを自分のものにしてくれたら。そして、あなたが仕事を通じて自らの成長を感じてくれたなら、この上ない幸せです。

2011年5月

岩瀬大輔

（※書籍情報は2019年1月現在のものです）

ガッツとやる気がほしいときに

絶対ブレない「軸」のつくり方

南壮一郎 著

20年近くの友人であるビズリーチ創業者の南壮一郎氏。楽天イーグルス創業メンバーとして自分のやりたいことを実現したときのエピソードが、ストーリー＋ノウハウの形でまとめられている。圧倒的な行動力によって不可能を可能にしていく著者の突破力に背中を押される一冊。一歩を踏み出す勇気が足りないときにぜひ。

調理場という戦場
「コート・ドール」斉須政雄の仕事論

斉須政雄 著

23歳で単身フランスに渡った著者の、過酷な修行時代を綴った一冊。「社会の常識になんて惑わされることなく、自分の常識でぶち当たってほしい」など、若い人への熱く温かいメッセージも。仕事論・人生論としても読める。

自分を超え続ける

南谷真鈴 著

エベレストを含む世界七大陸最高峰を制覇したひとりの19歳の冒険家である著者。彼女が山の中で経験した死と隣り合わせの壮絶なドラマを通じて、生きる意味とは何か、自身のありたい姿とは、自分の可能性の限界ギリギリの挑戦をしているか等、読み手に静かに問いかけてくる。魂を揺さぶられる一冊。

リーダーシップを学ぶ

指導者とは

リチャード・ニクソン 著／徳岡孝夫 訳

第37代アメリカ合衆国大統領によるリーダー論。チャーチル、ドゴール、マッカーサー、吉田茂、周恩来など世界の指導者たちとの交流から描くリーダーの姿、そして「指導者の資格」とは。著者の鋭い洞察が光る一冊。

キングダム（ヤングジャンプコミックス）

原泰久 著

舞台は紀元前の中国大陸。身寄りのない主人公が武功をあげて天下一の将軍になることを夢見て修行に励む、壮大なストーリー。各国の戦い方やリーダーの立ち居振る舞いなどから経営・ビジネスが楽しく学べる。

ベンチャー経営

HARD THINGS
答えがない難問と困難にきみはどう立ち向かうか

ベン・ホロウィッツ 著／滑川海彦、高橋信夫＝Tech Crunch Japan翻訳チーム 訳

資金ショート、倒産、株価下落、レイオフ……。壮絶すぎる実体験を通して著者が得た教訓とは。ゼロから何かを生み出そうとするときに必ず直面する困難とその乗り越え方。すべてのビジネスパーソン必読の書。

その他おすすめ

宇宙に命はあるのか
人類が旅した一千億分の八

小野雅裕 著

マサチューセッツ工科大学で博士号を取得して、NASAで火星探査機の自動運転ソフトウェアを開発している35歳の日本人エンジニアによる宇宙探査の歴史に関するノンフィクション。宇宙に興味がない人も、著者の軽妙な筆致にどんどん引き込まれていくはず。人間が持ちうる最大の武器である「イマジネーション」の大切さを思い出させてくれる。

情報源1 僕がおすすめする本

入社したての人、若手ビジネスパーソンにおすすめの本を紹介します。いわゆるビジネス書に限らず、幅広い視点で紹介しています。

金融・ファイナンスのリテラシーを高める

明日を生きるための教養が身につく ハーバードのファイナンスの授業
ハーバード・ビジネス・スクール 伝説の最終講義

ミヒル・A・デサイ 著／関美和 訳／岩瀬大輔 解説

ハーバード経営大学院(HBS)に留学した2年目に、著者の講義を受講したことが縁で解説を書いた。本書を読むと、ファイナンス的な考え方が人間の営みとは無縁ではないどころか、人間らしさ、いや人間臭さを体現することを思い知らされる。金融の深い知識がなくても読めるので、最初の一冊としておすすめである。

中央銀行
セントラルバンカーの経験した39年

白川方明 著

第30代日銀総裁を務めた白川方明氏の回顧録だが、著者が日本銀行に入行した1972年から本書の初版発行の2018年までの約半世紀(バブルとバブル崩壊、その後の金融危機等)の日本経済や日本銀行の金融政策の歴史書としても読める。700ページ以上の大著ではあるが平易な文体なので、ぜひじっくり読んでみてほしい。

戦後経済史を学ぶ

バブル
日本迷走の原点

永野健二 著

著者はバブル時代に日経証券部のキャップとして大活躍したジャーナリスト・永野健二氏。80年代のバブルとは何だったのか、あのバブルの時代の渦中に、誰がどう振る舞っていたか、またどの組織が、どんな行動をとっていたか。バブルを知らない世代である僕たちが、同じ過ちを繰り返さないためにも読んでおきたい。

経営者
日本経済生き残りをかけた闘い

永野健二 著

戦後を代表する17の経営者の物語を紡いだ本書。日本経済を牽引してきた財界とは、日本型企業が抱える企業風土の問題とは、私たちが目指すべき経営者像とは――。本書は日本の戦後史を学ぶ教科書であり、知られざる有名経営者たちの一面に光を当てるものであり、これからの資本主義を考える上での題材である。

自著から

入社1年目の教科書 ワークブック

岩瀬大輔 著

『入社1年目の教科書』で紹介している3つの原則と50のルールを、より今の時代にフィットさせた形で、より実践的にビジネスシーンで使えるノウハウとしてまとめたのが本書である。新入社員からのQ&Aなども加え、併読することで50のルールの「真の意味」を理解し、すぐに行動できるようになるはず。

ネットで生保を売ろう！

岩瀬大輔 著

著書が続いて恐縮ですが、ライフネット生命立ち上げのストーリーをまとめたのが本書。起業を考えている人はもちろん、「仕事を通じて挑戦すること」のヒントとしてもぜひ手にとっていただけるとうれしい。

パパ1年目のお金の教科書

岩瀬大輔 著

教育費や住宅ローン、生命保険など、お金のことを真剣に考えようと思うきっかけが、結婚や出産だったりする。そんなときに、これだけは知っておいてほしいということをまとめた。書名に「パパ」とあるが、男女関係なく読んでほしい。

情報源2 僕がチェックしているツイッター

僕がTwitterでフォローしているのは、以下のアカウントです。ニュースサイトや著名人が中心です（あえて趣味のものも掲載しています）が、皆さんの情報源としてもご活用いただければと思います。

（※アカウント情報は2019年1月現在のものです）

The Economist ………… @TheEconomist
Financial Times ………… @FT
The Wall Street Journal ………… @WSJ
ウォール・ストリート・ジャーナル日本版 ………… @WSJJapan
毎日新聞 ………… @mainichi
World Economic Forum ………… @wef
現代ビジネス ………… @gendai_biz
佐々木俊尚 ………… @sasakitoshinao
ちきりん ………… @InsideCHIKIRIN
平野啓一郎 ………… @hiranok
出口治明 ………… @p_hal
伊藤真 ………… @ito__makoto
Kazuki Fujisawa ………… @kazu_fujisawa
Yoshi Noguchi ………… @equilibrista
志らく ………… @shiraku666
文楽ファン ………… @bunraku_fan
Body & Soul（ジャズライブ情報）………… @BodyandSoul_J
kensuke yamamoto ………… @kensukey

［著者］
岩瀬大輔（いわせ・だいすけ）
AIAグループ
経営会議メンバー兼グループCDO（チーフデジタルオフィサー）
ライフネット生命保険株式会社取締役会長

1976年埼玉県生まれ。1997年司法試験合格。1998年、東京大学法学部を卒業後、ボストン コンサルティンググループ等を経て、ハーバード大学経営大学院に留学。同校を日本人では４人目となる上位５％の成績で修了（ベイカー・スカラー）。2006年、副社長としてライフネット生命保険を立ち上げ、2013年より代表取締役社長、2018年６月より現職。同年７月より18の国や地域に拠点を有するアジア最大手の生命保険会社であるAIAグループ（香港）に本社経営会議メンバーとして招聘される。

著書は『入社1年目の教科書 ワークブック』（ダイヤモンド社）、『ハーバードMBA留学記――資本主義の士官学校にて』（日経BP社）、『生命保険のカラクリ』『がん保険のカラクリ』（共に文春新書）、『ネットで生保を売ろう！』（文藝春秋）など多数。

入社１年目の教科書

2011年５月19日　第１刷発行
2019年２月８日　第31刷発行

著　者――岩瀬大輔
発行所――ダイヤモンド社
〒150-8409　東京都渋谷区神宮前6-12-17
http://www.diamond.co.jp/
電話／03･5778･7236（編集）　03･5778･7240（販売）
装丁、本文デザイン、DTP――轡田昭彦＋坪井朋子
製作進行――ダイヤモンド・グラフィック社
印刷――――新藤慶昌堂
製本――――川島製本所
編集協力――新田匡央
編集担当――和田史子

ISBN 978-4-478-01542-1